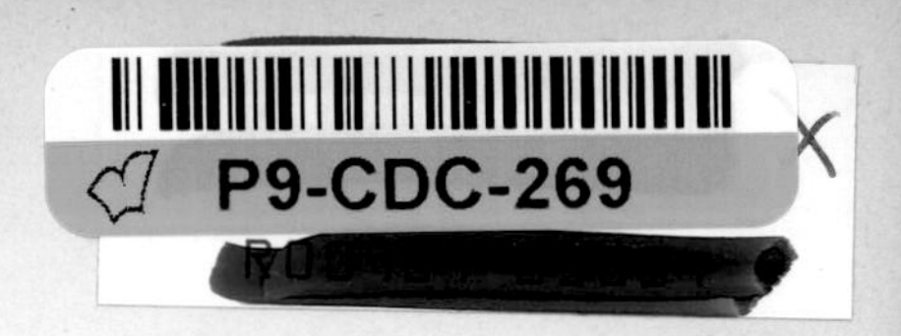

Cómo negociar con éxito

A nuestros hijos
Joanne, Vicky, Sarah, Russell, Claire,
Kim, Karen, Florence, Beatrice y Gavin,
los mejores negociadores

Cómo negociar con éxito

2.ª edición

Gavin Kennedy
John Benson
John McMillan

EDICIONES DEUSTO S·A·
Madrid/Barcelona/Bilbao

Barraincúa, 14
48009 Bilbao

I.S.B.N.: 84-234-0890-6
Depósito legal: BI-2562-90

F. I.

Impreso en España.

ÍNDICE

PRÓLOGO

Este libro surgió de la fructuosa colaboración de los autores en un curso de formación de directivos relacionados con actividades de negociación. Pero son muchas más las personas que han contribuido al libro a través de su participación en los cursos de formación como profesores o alumnos (la diferencia nunca nos ha parecido importante, ni siquiera evidente).

Entre estas personas citamos con gusto a las siguientes: Peter Seglow, Nickie Fonda, Ken Knight de la Universidad de Brunel (Uxbridge), que patrocinó los primeros cursos; Ron Towndrow, Tony Martin, Gordon Steven, Ken Stuart, Ian Kilgour, David Adams, entre los tutores; John Vaizey, Allan Backlaws, Bob Morrison, Tony Williamson y Hugh Stafford, quienes nos han apoyado a lo largo de estos años; Bob Syme, por sus servicios técnicos, por su buen humor y por sus aportaciones a la cohesión del curso, en escena y fuera de ella: y a los cientos de directivos que asistieron a los cursos y contribuyeron a su mejora.

Cuando el curso fue impartido por primera vez por uno de los autores (G.K.), su principal objeto formativo era desarrollar la habilidad negociadora de los directivos de aquellas empresas que se enfrentaban por primera vez con el sindicalismo. Kennedy había adquirido buena parte de su experiencia en el lado sindical de la industria. Recientemente había terminado también un estudio de campo sobre las negociaciones en materia de productividad desarrolladas en la refinería Shell-Haven de Inglaterra.

Los primeros cursos reflejaban el entorno académico de la Universidad de Brunel, con su insistencia en la sociología industrial. Cada año se celebraban varios cursos, tanto en la misma universidad como en las fábricas. Cuando Kennedy se trasladó a vivir a Escocia se unió con otro de los autores (J.B.), con el objeto de ofrecer el curso a un número mayor de clientes procedentes de la industria. Benson conocía bien el lado empresarial de las relaciones laborales y, al poco tiempo de entrar en la empresa en la que trabaja actualmente, el curso fue adoptado por el departamento de formación de ésta. Para entonces Kennedy y Benson habían desarrollado considerablemente el curso, centrando el enfoque de éste en el arte de la negociación y alejándose de las derivaciones políticas de las relaciones laborales.

En 1976, Kennedy y Benson se unieron con McMillan para formar en Glasgow la sociedad «Scotwork Personnel Services, Ltd», con el objeto de comercializar el curso en todo el Reino Unido. La influencia de McMillan, que tenía experiencia en la negociación comercial, contribuyó a desarrollar aún más el curso. El nuevo curso sobre la negociación comercial tuvo tanto éxito como los anteriores, al satisfacer una clara necesidad de formación en la industria y el comercio. Recientemente hemos lanzado un tercer curso sobre la dirección de una negociación, dirigido a aquellos directivos cuyas funciones incluyen el empleo de una capacidad negociadora general.

Este libro ha sido escrito conjuntamente por los autores, combinando nuestra experiencia, tanto práctica como educativa. Su perspectiva es totalmente práctica y no envía al lector al cúmulo, siempre creciente, de publicaciones especializadas sobre la negociación. Se trata de una decisión deliberada que no obedece ni a ignorancia de estas publicaciones ni a una infravaloración de su aportación al conocimiento del tema. Se trata simplemente de una cuestión práctica. El *Manual del tutor* de Scotwork constituyó el núcleo del libro, a cuyo alrededor fue elaborándose el manuscrito.

Anne Cooper, Betty McLean y Anne Winthrop se encargaron, con su proverbial eficacia, del manuscrito final, en tanto que el índice fue realizado por Anne Benson. Nuestras esposas son las que se han ganado nuestro mayor agradecimiento por su prolongado apoyo y los tres, conjunta e individualmente, damos las gracias a Patricia, Anne y Kareen.

GAVIN KENNEDY
JOHN BENSON
JOHN MCMILLAN

PRÓLOGO A LA SEGUNDA EDICIÓN

El éxito obtenido por la primera edición ha sido tan satisfactorio como gratificante. Hay muchas novedades con las que subrayar la validez de las lecciones que ofrecimos en 1980. En esta segunda edición hemos actualizado muchos de los ejemplos, redactado de nuevo algunas secciones y ejemplos, añadido algunos que son nuevos, así como un nuevo capítulo que trata sobre aquellas situaciones en las que es imposible avanzar o retroceder en la negociación y que, generalmente, se denominan «punto muerto».

En 1981, Rank Aldis hizo una película educativa basada en el método de las ocho fases *(The Art of Negotiating,* El arte de negociar), película que ha sido una fructuosa empresa para todos los que participaron en ella. Dado que les resultaba imposible incluir las ocho fases en una película de 30 minutos, sin abrumar a los espectadores con tanto detalle, convinieron en utilizar un método de cuatro fases *(preparación, discusión, propuestas e intercambio),* haciendo meras referencias a las fases de «señales», «paquete», «cierre» y «acuerdo».

No tenemos nada que oponer a esta adaptación. Nuestro método de las ocho fases siempre lo hemos considerado una herramienta tanto teórica como práctica, con posibilidades de ser utilizada en la forma que mejor convenga a cada uno y a sus circunstancias, sin que para nadie haya de constituir una camisa de fuerza. Hemos preferido, sin embargo, no introducir en esta segunda edición modificaciones que la adapten a la línea de la película educativa, en la creencia de que el método de las ocho fases, aporta una significativa contribución a la comprensión —teórica y práctica— de cualquier tipo de negociación, y que la versión de las cuatro etapas apoya más que contradice nuestro método.

Los autores han progresado en sus respectivas carreras. Gavin Kennedy sigue impartiendo enseñanzas en la Strathclyde Business School (Glasgow) y dirige «Negotiating Clinics» en el Reino Unido, Escandinavia, Norteamérica y Australia. Su libro, *Everything is Negotiable!* (¡Todo es negociable!), fue publicado por Business Books en 1983 y el subsiguiente *Negotiate Anywhere!* (¡Negocie en cualquier sitio!) acaba de ver la luz de la mano de la misma editorial.

John Benson fue nombrado Director de Personal de la «Scottish & Newcastle Beer Company» (Edinburgh) en 1981, y en 1984 entró a formar parte del consejo de Nabisco (Reading). Es asiduo colaborador en las conferencias y publicaciones del IPM, así como una autoridad en el campo de las relaciones industriales y las negociaciones empresariales en general.

John McMillan es director gerente de «Scotwork Ltd» (Glasgow) e imparte clases sobre técnicas de negociación usando el método de las ocho fases, en el Reino Unido, Europa y la zona del sureste de Asia, para las principales multinacionales.

GAVIN KENNEDY
JOHN BENSON
JOHN MCMILLAN

Capítulo 1

INTRODUCCIÓN

1.1 El predominio de la negociación

Vivimos en una época de negociaciones. Todos los aspectos de nuestra vida, prácticamente, pasan por algún tipo de negociación. Todas las personas negocian, incluso varias veces al día. Tan acostumbrados estamos a negociar que ni siquiera caemos en la cuenta de ello.

Las naciones negocian, como lo hacen los gobiernos, los empresarios y los sindicatos; los maridos negocian con sus esposas (como lo hacen los amigos con sus amigas) y los padres con sus hijos. Si cogemos un diario y señalamos todos los artículos relacionados de una u otra forma con la negociación, nos quedaremos sorprendidos del número de éstos.

La política internacional, evidentemente, ocupa los titulares, bien se trate de las conversaciones START entre los soviéticos y los Estados Unidos o de las negociaciones de Oriente Medio entre Israel y los árabes, o de cualquiera de una docena de negociaciones importantes sobre temas candentes (las Malvinas, Gibraltar, Hong Kong, o el Líbano, por mencionar unas pocas) que se desarrollan en todo el mundo.

La negociación de los convenios entre sindicatos y empresas ocupa también una parte de la información de la prensa. Las huelgas de celo, los paros, los despidos y los cierres de empresas son dramas diarios. Estas medidas de presión contribuyen a hacer de los conflictos laborales temas mucho más conocidos que, por ejemplo, los conflictos comerciales, que surgen con parecida frecuencia pero con menos espectacularidad. Los conflictos laborales reciben una mayor publicidad porque empresarios y trabajadores buscan el apoyo del público para su causa. Las negociaciones comerciales se efectúan en privado, en parte para proporcionar la mínima información posible a la competencia, y en parte para preservar la imagen pública de las empresas.

Son millares los grupos económicos que negocian diariamente. Los minoristas negocian sus márgenes con sus proveedores; estos mismos comerciantes se agrupan en cooperativas de compras para conseguir cierta capacidad de negociación y presionan al gobierno para conseguir una reducción de las cargas fiscales o la exención de ciertas leyes gravosas, inspiradas probablemente en su origen por otros grupos económicos.

Las asociaciones de vecinos negocian con las autoridades locales sobre contribuciones, pasos de peatones, semáforos, servicios públicos, urbanismo y calificación de solares y, cuando se trata de viviendas sociales, sobre cuestiones de rentas, derechos de los inquilinos y equipamientos. Las autoridades locales, a su vez, negocian con el gobierno central, sobre todo en materia de recursos destinados a cubrir sus presupuestos.

Gran parte de las relaciones comerciales se basan en las leyes sobre contratos mercantiles. La negociación de un contrato, sin embargo, no pone fin a la cuestión —si fuera así, los abogados tendrían mucho menos trabajo—. Pueden surgir, y de hecho surgen, circunstancias sobre las que los términos del contrato permitan interpretaciones diferentes, o puede ocurrir algo no previsto expresamente en el acuerdo negociado. Una compañía aérea, por ejemplo, puede descubrir por experiencia que un avión no alcanza el rendimiento prometido o que presenta problemas técnicos (grietas en las alas, etcétera). No se trata de devolver simplemente el avión a la tienda y exigir otro nuevo. El avión continuará volando, pero habrá que abrir una negociación sobre las condiciones comerciales de estos vuelos. Las partes perjudicadas, o sus allegados, suelen tener que recurrir a la negociación de una indemnización en los tribunales o al margen de ellos. Los periódicos mencionan sólo una mínima parte de estos acuerdos.

El procedimiento judicial se ve obligado, por simple saturación, a recurrir a la negociación de la sentencia *(plea bargaining)*. Este procedimiento, común en Estados Unidos, pero apenas conocido en el Reino Unido, permite a una persona acusada de un delito grave declararse, a través de unos intermediarios legales, culpable de un delito menor a cambio de una condena más suave. El procedimiento ofrece a las autoridades la ventaja de una condena cierta a cambio de las incertidumbres de un proceso ante jurado sobre el primer delito.

No hace mucho tiempo aún, era normal que los acuerdos matrimoniales fueran negociados por los padres de los futuros esposos. La cuantía de la dote solía ser en estos casos mucho más decisiva que la compatibilidad de los prometidos. Esta costumbre pervive aún en muchos lugares del mundo y sobrevive en otros muchos, si no en cuanto al contenido, sí en cuanto a la forma, por las actitudes de los padres hacia lo que consideran una «buena» boda, o por lo que entendemos «hacer una boda de dinero».

Hoy es más normal que las negociaciones tengan lugar en torno a los procesos de divorcio. Los abogados especializados que representan a sus clientes en estas negociaciones han ampliado últimamente sus actividades a los procesos de separación de parejas no casadas. Todo ello, a su vez, ha despertado un interés por las negociaciones prematrimoniales en torno a los criterios de división de bienes en caso de divorcio o separación. También en este área, la prensa informa sólo de los casos más interesantes, incluyendo otro tipo de negociaciones familiares como los conflictos hereditarios. Pero, evidentemente, la prensa no menciona la mayoría de las negociaciones que tienen lugar en el seno de las familias. Y las negociaciones domésticas de este tipo son las más normales.

Las personas de un sexo pasan una buena parte de sus relaciones negociando con las del sexo opuesto. Maridos y mujeres, amigos y amigas, negocian y rompen. El matrimonio implica una serie de compromisos negociados porque ninguno de los cónyuges tiene un poder absoluto sobre el otro. Los padres tratan con los negociadores más naturales del mundo: sus hijos. Un niño aprende en seguida a negociar el «tipo de cambio» entre ruido y alimento. Más tarde, este niño negocia las proporciones relativas de verdura y helado, dónde y cuándo jugar, qué programas puede ver en la TV, cuándo estar callado, la hora de acostarse y —en negociación claramente separada— la hora de dormirse.

Los niños suelen ser mejores negociadores que los adultos porque tienen pocas inhibiciones, están preparados para utilizar las armas que poseen y no les preocupa el futuro, sino el presente. Los adultos hemos perdido algunas de esas ventajas con el cambio de nuestras percepciones por lo que venimos a confiar en la capacidad para articular las propias opiniones y de esta manera tratamos de persuadir a los demás a que acepten nuestros deseos.

Todos estos tipos de negociación tienen una cosa en común, precisamente la que hace necesaria la negociación: las partes implicadas tienen diferentes grados de poder, pero nunca un poder absoluto sobre la otra parte.

Nos vemos obligados a negociar porque no tenemos el control total de los acontecimientos. Cuando una persona tiene un dominio total sobre otra puede prescindir de la negociación (aunque la experiencia de los campos de concentración indica que la negociación tiene un lugar reservado incluso en estas infelices circunstancias). Pero en la mayor parte de las situaciones la negociación sigue siendo una posibilidad y, en muchas, una necesidad. Lo que nos hacen los demás nos afecta. Lo que quieren los demás afecta a lo que nosotros tenemos. Los demás ven de forma diferente lo que nosotros vemos. Lo que en nuestra opinión nos favorece parece perjudicar a otros. Cuando decimos lo que creemos que hay que hacer, alguien protesta. Lo que es necesario para unos es inconveniente para otros. Nosotros podemos confiar en nuestras razones, pero otros no lo hacen. Y así indefinidamente. Siempre hay personas que tienen sobre sus intereses un punto de vista diferente del nuestro.

El derecho a disentir es considerado en las democracias un derecho fundamental. Los niños, evidentemente, ejercen muy pronto este derecho. Puede que no obtengan siempre lo que quieren, pero rara vez renuncian a exigir a sus padres que consideren sus opiniones. Posteriormente llevamos este comportamiento a la vida exterior al círculo familiar, comportamiento que influye en casi todo lo que hacemos en el tiempo de trabajo y en el ocio. Puesto que todo el mundo exige el derecho a tener su opinión personal, hemos de encontrar la forma de dar una respuesta al mutuo derecho a disentir.

Esta es la razón de la negociación.

1.2 **Las alternativas**

Existen alternativas a la negociación, alternativas apropiadas en ciertas circunstancias.

Una parte puede dictar sus decisiones a la otra. Si la otra parte acepta el derecho, o el poder, de los dictadores a decidir unilateralmente, sobra la negociación. Poco importa que se haya aceptado esta situación por renuncia voluntaria al propio derecho o por miedo a las consecuencias de la desobediencia. El caso es que una parte ha recibido o tomado unos derechos unilaterales sobre la otra.

Cuando se da esta situación, las decisiones se toman sin previa negociación. Las decisiones «dictatoriales» son mucho más frecuentes de lo que se piensa. La dictadura no tiene por qué estar personificada, como en el caso de Stalin. El principio básico de la dictadura es la aceptación

LA RESOLUCIÓN DE PROBLEMAS.
¿DE QUIÉN SON LOS PROBLEMAS?

Un quinceañero se compró unos zapatos a la última moda, pero, al ponérselos por primera vez, sus amigos no los encontraron tan bonitos como a él le habían parecido y se burlaron de él. Devolvió los zapatos a la zapatería, quejándose de que eran muy incómodos, y pidió que le devolvieran el dinero. El zapatero le ofreció entregarle un par de zapatos idénticos, con lo que pensaba solucionar el problema. Pero esto no resolvía el problema del muchacho que, por otro lado, no podía admitir la auténtica razón por la que deseaba devolver los zapatos, ya que el zapatero hubiera rehusado complacerle.

de la toma unilateral de decisiones, y esta aceptación es muy frecuente en nuestra sociedad.

En el servicio militar, las órdenes no se discuten; las decisiones del árbitro en un partido son definitivas, aunque son frecuentes los intentos de negociación de los jugadores.

Los trabajadores suelen estar de acuerdo en aceptar las órdenes de sus jefes por una razón: el salario. Con arreglo a este contrato, los jefes toman decisiones unilaterales en áreas discrecionales concretas (determinadas en el contrato o establecidas por la costumbre o la práctica), decisiones que aceptan los trabajadores. Los jefes no creen tener que negociar con éstos cada una de las decisiones que toman mientras dure el contrato de trabajo.

Ambas partes pueden negociar el cambio del contrato, pero no su cumplimiento.

LA RESOLUCIÓN CONJUNTA DE PROBLEMAS PUEDE ORIGINARLOS

Una empresa multinacional fabricaba pequeños electrodomésticos en cuatro países europeos. Todas las fábricas tenían una dimensión similar. La empresa decidió, por razones de exceso de capacidad, reducir ésta en un 25 %. Los cuatro directores nacionales de fabricación fueron convocados a una reunión para acordar esta reducción.

La dirección inglesa, con su sentido tradicional del *«fair play»*, llegó a la reunión con la idea de aplicar un método de resolución conjunta de problemas, no viendo la necesidad de una negociación en este caso concreto. «Creemos que cada fábrica debe soportar una misma proporción de la reducción. Nosotros hemos analizado nuestra explotación y localizado ciertos sectores que pueden ser eliminados.» La respuesta era de esperar. «Nos alegra saber que pueden ustedes reducir su actividad. Nosotros hemos analizado nuestras fábricas y vemos que cada una de ellas es una unidad totalmente integrada en la que no se pueden introducir recortes parciales.»

La fábrica de Inglaterra fue cerrada.

La resolución conjunta de problemas es otra forma de tomar decisiones. Este procedimiento no exige necesariamente una negociación, aunque puede que ésta sea necesaria para ponerse de acuerdo sobre la conveniencia de utilizar este método en un problema determinado y para decidir el orden de trabajo. La resolución de problemas exige una comunidad aceptada de intereses de las partes y no sirve cuando éstas tienen y mantienen unos puntos de vista diferentes y contradictorios del problema y de sus soluciones. Algunos directivos prefieren transformar una negociación en una sesión de resolución conjunta de problemas y no seremos nosotros quienes les critiquemos por ello. Nuestras críticas se limitan a aquellos que confunden ambos métodos, como si fueran exactamente iguales.

Cuando la negociación fracasa, el arbitraje puede ser una solución. Se trata de que un tercero tome la decisión sobre la que las dos partes no se ponen de acuerdo. Esta solución puede ser válida, aunque no siempre. No es tampoco muy del gusto de los negociadores, porque, cuando éstos dejan la decisión en manos de un tercero neutral, renuncian a su poder de influir en el acuerdo. Cuando la decisión del árbitro es vinculante tiene las características de una decisión dictatorial. Muchos contratos y acuerdos prevén el arbitraje de los posibles conflictos, y ello suele obligar a encontrar una solución para evitar el arbitraje, sobre todo cuando el árbitro está obligado por norma a elegir la cifra de la empresa o la del sindicato y no puede decidirse por una intermedia. Ambas partes tratan de acercar sus posiciones «finales» antes del recurso al arbitraje para el caso de que el árbitro elija la cifra del contrario por ser, en su opinión, «más realista». Evidentemente, este acercamiento de posiciones previo al arbitraje aumenta las posibilidades de un acuerdo voluntario.

La alternativa más normal de la negociación es la persuasión. Si una parte puede persuadir a la otra de que acepte su punto de vista, el tema está resuelto sin coste y con escaso esfuerzo. La persuasión aparece a lo largo de toda la negociación y forma parte integral del proceso de ésta. Por sí sola rara vez procura un éxito total cuando existe un auténtico conflicto de intereses.

1.3 **Condiciones necesarias para una negociación**

Cuando dos personas tienen un conflicto son varias las cosas que pueden hacer. Pueden, evidentemente, ignorar la cuestión y acordar seguir en desacuerdo. A esta categoría suelen pertenecer las diferencias de opinión en cuestiones políticas, religiosas o deportivas. Pero cuando las diferencias afectan a, o forman parte de, una relación laboral o comercial, el «acuerdo en el desacuerdo» no elimina el problema. Si queremos ganar dinero, tenemos que llegar a un acuerdo sobre las condiciones del contrato, tenemos que resolver el conflicto.

Las personas negocian por razón de conveniencias propias, sean éstas empresariales o personales. Las personas cambian respecto de su posición de partida porque la otra parte tiene una sanción para forzarles al cambio o un incentivo para animarles a realizar dicho cambio. Puede ser que la eventual falta de acuerdo entrañe altos costes para una o ambas partes, la pérdida de un valioso contrato, la fábrica parada en una disputa laboral, o el divorcio en una crisis matrimonial.

Y, a la inversa, el acuerdo tiene sus costes. Cerrar una operación en

LOS PRECEDENTES PUEDEN COSTAR CARO-1

Una empresa química decidió vender su producción excedente a un precio marginal con el fin de atraer nuevos tipos de clientes y mantener su actividad. Los mercados tradicionales de esta empresa —la construcción metálica pesada y la construcción naval— entraron en un rápido retroceso, dejando a la empresa a merced de la venta de menor margen. Este mercado continuó creciendo y cada nuevo cliente quería un precio igual, al menos, al de sus competidores.

LOS PRECEDENTES PUEDEN COSTAR CARO-2

Un cliente devolvió parte de la mercancía a su proveedor. Para evitar un reintegro de dinero, éste acordó que, en lugar de hacer una nota de abono, haría un descuento del 10 % en los siguientes pedidos, hasta cancelar la deuda. Al final de este período el suministrador retiró el descuento. El cliente se opuso, exigiendo que siguiese el descuento en todas las compras futuras y amenazando con cambiar de proveedor.

LOS PRECEDENTES PUEDEN COSTAR CARO-3

Un periódico escocés tomó la decisión de limpiar los exteriores de su edificio principal. Para ello había que levantar un andamiaje. Los periódicos eran expedidos desde un costado del edificio: los camiones y las furgonetas solían aproximarse marcha atrás a los muelles de carga donde los trabajadores cargaban los periódicos, recogiéndolos de un sistema de alimentación por gravedad y dejándolos caer sobre los vehículos, en donde eran apilados ordenadamente por los conductores.

Cuando llegó el momento de proceder a la limpieza de este lado del edificio, el andamiaje impedía a los camiones aproximarse totalmente a los muelles, por lo que había que transportar los periódicos a mano los pocos metros de calle que separaban el sistema de alimentación de los camiones. Los obreros de expedición exigieron una remuneración especial por la molestia que suponía esto, exigiéndola además para todo el personal de la sección, se viera o no afectado por el cambio. Y se negaron a trabajar en tanto no obtuvieran lo solicitado. La dirección aceptó pagar una cantidad en concepto de prima de «incomodidad», para evitar una huelga.

Algunas semanas más tarde terminaban los trabajos de limpieza y se retiraba el andamiaje. La empresa retiró la prima, puesto que el trabajo era ya el normal. Los trabajadores amenazaron con ir a la huelga a menos que la empresa consolidara la prima temporal en el salario base. La dirección, enfrentada a este ultimátum, aceptó.

unas condiciones desfavorables reduce los beneficios y, si esta política se prolonga, puede producir la quiebra. Esto es cierto tanto para los acuerdos salariales como para los contratos comerciales. Pero hay otros costes. Toda concesión hecha tiene unos costes, a los que hay que añadir los costes a largo plazo derivados del precedente creado.

LOS PRECEDENTES PUEDEN COSTAR CARO-4

Al principio de los ochenta hubo una serie de secuestros de ejecutivos de empresa en la República de Irlanda. Los secuestradores trataban de obtener dinero por medio de la exigencia de rescate. El gobierno irlandés rehusó negociar con los secuestradores y logró persuadir a las empresas de los ejecutivos secuestrados a que adoptaran la misma postura. El peligro estaba en que si se establecía un precedente admitiendo el pago de un solo rescate, era probable que se produjera una crecida de secuestros.

Un negociador que concede un descuento superior al normal está creando también un precedente y, en el siguiente contrato, el cliente considerará aquel precio especial como base para la negociación. Si otros clientes se enteran del precio especial, tratarán también de obtenerlo. Si una empresa cede a una petición sindical ante una amenaza de huelga, puede encontrarse en otras negociaciones futuras con la misma amenaza, y el sindicato puede confiar, con bastante razón, en la eficacia de esta amenaza.

LOS COSTES DEL DESACUERDO

Cuando a finales de 1973 el gobierno conservador de Gran Bretaña estaba tratando de elaborar una política nacional de rentas aceptable, preveía un serio problema con los mineros.

Los contactos informales mantenidos parecían indicar que, sin violar, la forma y la letra de la política de rentas del gobierno que iba a ser presentada para su aprobación en el Parlamento, podía encontrarse una fórmula de negociación (mediante el pago de las llamadas «horas no sociales») satisfactoria para el sindicato minero (lo que en América llaman «negociar con calzador»). Sin embargo, la fórmula fue publicada en los documentos que el gobierno envió al Parlamento para su debate.

Los mineros vieron perdida su capacidad de negociación y reaccionaron. Los resultados fueron una semana laboral de tres días en toda la industria, restricciones masivas de energía y el caos industrial. El gobierno convocó elecciones generales y las perdió.

Los costes del desacuerdo pueden ser suficientemente altos como para que la alternativa de la negociación resulte una solución más atractiva que «subir al cuadrilátero» de una huelga o dar por terminada una relación comercial con el consiguiente efecto negativo e incluso con la pérdida de imagen pública que puede suponer un juicio confuso. El objeto de la negociación es minimizar los costes del acuerdo todo lo que permitan las políticas generales de la empresa o los intereses de la parte afectada.

La negociación es la solución apropiada cuando existe un equilibrio entre estos dos costes. Esta apreciación ha de ser forzosamente subjetiva. La relación de fuerzas entre las partes dependerá de la medida en que cada una de las partes estime que el coste del desacuerdo supera al coste del acuerdo. Puede que estos costes no sean conocidos de antemano y que la negociación sea un medio útil para dar un contenido más preciso a la estimación de los mismos. Las primeras estimaciones pueden ser revisadas o confirmadas en el curso de la negociación, que servirá para conocer la fuerza o debilidad relativa de cada una de las partes.

La negociación se impone cuando ambas partes consideran que las ventajas de una solución negociada del conflicto son mayores que las probables ventajas de una solución del mismo por otros medios. Entre éstos está la decisión de no negociar o, cuando existen ya unas negociaciones, no continuarlas si las condiciones son inaceptables, siempre que no sea necesario que las partes lleguen a un acuerdo una vez iniciadas las negociaciones. Es poco probable que la negociación, o la decisión de negociar, tenga una conclusión satisfactoria si una de las partes adopta una postura inamovible. Un «no» rotundo a todas las propuestas de la otra parte hace imposible cualquier tipo de negociación. Puede tratarse de un caso de obstinación o de una mala táctica, pero si la otra parte cree que esa es la posición final de su opositor llegará a la conclusión de que no tiene nada que ganar negociando.

La inexistencia de negociaciones no es siempre culpa de la parte que dice «no». La culpa puede ser de la parte que quiere negociar en unas circunstancias en las que la otra parte normalmente no negocia. Por ejemplo, es poco probable que una persona que entre en los almacenes Woolworths y ofrezca a la vendedora un precio menor por una camisa consiga establecer una negociación. Woolworths no regatea el precio con cada cliente, pues el coste de esta política sería muy superior al beneficio comercial de la misma. Woolworths fija los precios de sus artículos sobre la base de «lo toma o lo deja». Sin embargo, Woolworths estaría seguramente dispuesto a considerar un pedido de mil camisas con descuento, aunque, entonces, no sería una vendedora de planta la encargada de llevar las negociaciones.

La negociación sólo es posible cuando las partes están dispuestas a abandonar sus posturas iniciales y cuando esta voluntad se manifiesta en uno o varios momentos del contacto. Si ninguna de las partes hace patente esta voluntad, es difícil llegar a un desenlace feliz. Más adelante trataremos de la forma de hacer patente esta voluntad.

1.4 ¿Qué es una negociación?

La negociación es un proceso de resolución de un conflicto entre dos o más partes, mediante el cual ambas o todas las partes modifican sus demandas hasta llegar a un compromiso aceptable para todos.

Otra definición, procedente del mundo de las relaciones laborales, dice: la negociación es un proceso de ajuste, hasta un resultado alcanzable, de las opiniones de ambas partes respecto a lo que constituye el resultado ideal.

No siempre es posible resolver un conflicto mediante la negociación. En estos casos pueden utilizarse otros métodos. Siempre existe la posibilidad de renunciar a ponerse de acuerdo. Un candidato a un trabajo puede no aceptar éste a la vista del salario ofrecido; un posible cliente puede decidir no comprar al precio exigido.

En el contexto de la negociación puede haber dos tipos de conflicto.

¿ES NECESARIO NEGOCIAR?

Algunos pedantes mal informados mantienen que la negociación es un rito innecesario y que todo lo que hay que hacer es «partir por mitad la diferencia» o «indicar desde un principio el máximo que se puede ofrecer».

Ford (Inglaterra) ha tenido en los últimos años experiencias con ambos métodos. Hace algunos años, la empresa adoptó la táctica de adelantar una oferta definitiva. Con arreglo a esta táctica, anunció al principio de las negociaciones que su oferta era absolutamente definitiva. Los sindicatos se negaron a creer que lo fuera, y muchas de las fábricas Ford fueron a la huelga. Finalmente, los trabajadores acabaron aceptando la oferta. Ésta hubiera sido indudablemente aceptada si Ford hubiera negociado para llegar a ella. La empresa no repitió la táctica.

Aun teniendo en cuenta las complicaciones provocadas por una política nacional de rentas, la conclusión fundamental no varía. Para llegar a un acuerdo hay que estar dispuesto a negociar. Para negociar con éxito no se debe empezar en el punto más bajo posible confiando en llegar «de una forma u otra» al «mejor» de los acuerdos. Las partes negociadoras no «parten por mitad la diferencia» (si lo hicieran, empezarían a adoptar las posiciones más distantes posible). Cada método de llevar la negociación produce diferentes acuerdos.

El primero son los conflictos de intereses. Así ocurre cuando no se han acordado las condiciones de una operación o cuando, habiéndose acordado éstas anteriormente, hay que volver a negociarlas.

Las negociaciones laborales de salarios, plantillas, horas y condiciones de trabajo son un ejemplo de conflicto de intereses. En un sentido aritmético estricto, toda ventaja laboral representa una pérdida para el capital: los recursos gastados en remuneraciones al personal son recursos que la empresa no puede dedicar a inversión, a remuneración de los directivos o a dividendos para sus accionistas.

Las negociaciones comerciales de precio, cantidad, calidad y plazo de entrega son también un ejemplo de conflicto de intereses. El vendedor prefiere un precio alto a uno bajo, y el comprador un precio bajo a uno alto. Los ingresos de una empresa son costes para otra. Cuanto más paga una empresa por sus compras, más ha de cobrar por sus productos o aceptar un beneficio menor. De nuevo, aritméticamente, una parte gana lo que la otra pierde.

El otro tipo de conflicto negociado es el conflicto de derechos. Aparece este conflicto cuando, existiendo un acuerdo entre las partes, surge una diferencia de interpretación.

En las negociaciones laborales puede surgir un conflicto en torno a la aplicación del convenio vigente. Por ejemplo, ¿constituye una «urgencia» la consulta telefónica de un encargado de producción al técnico de mantenimiento, realizada durante un fin de semana? y, si es así, ¿cuánto debe cobrar el técnico según el convenio vigente? El conflicto se refiere a los derechos de las partes sometidas a los acuerdos existentes, y no a los intereses de éstas frente a una nueva negociación, aunque ésta puede surgir si el conflicto revela la existencia de una anomalía en las disposiciones vigentes que perjudica a una de las partes.

En las negociaciones comerciales, el conflicto puede centrarse en el cumplimiento de las condiciones del contrato vigente. ¿Ha cumplido una parte sus obligaciones contractuales? Y, si no, ¿ha sido enteramente culpa suya o ha contribuido la otra parte a este incumplimiento? Se trata también de un conflicto de derechos, no de intereses. Puede ocurrir, después, que una de las partes trate de asegurarse una cierta cobertura para el caso de que se repita una situación parecida e intente alterar las condiciones en las que se opera.

El aspecto esencial de la negociación como proceso de resolución de conflictos es que éste se centra en el tema objeto del conflicto y no en la relación global entre las partes. El hecho de que las partes difieran en una cuestión no significa que no tengan un interés general común en encontrar una solución negociada. Hay personas que no lo entienden así y retroceden ante la palabra «conflicto», considerándola sinónimo de ruptura, cisma, pleito, lucha, altercado, violencia, etc.

Utilizamos descriptivamente el término «conflicto» porque de eso se trata. El reconocimiento de la existencia de un conflicto de derechos o intereses es, en nuestra opinión, una condición previa para su resolución. La negociación del conflicto representa una victoria de la ideología sobre la experiencia. Si los derechos o intereses de una parte están amenazados, aquélla tratará de defenderse mediante el conflicto con los que la amenazan; si esta parte trata de ampliar sus derechos o intereses, pondrá éstos en conflicto con los que ofrecen una resistencia. Este comportamiento es normal y natural.

La negociación permite resolver estos conflictos sin poner en peligro el conjunto de las relaciones existentes entre las partes. En el campo de las relaciones laborales existe una relación continua entre las partes, relación que incluye, dentro de sus límites, los temas concretos objeto de conflicto en un momento determinado. Esta relación continua actúa como limitación o frontera de sus relaciones. La negociación trata de resolver unos conflictos dentro de los límites de esta relación continua y general.

De la misma forma, los conflictos surgidos entre las partes de una relación comercial se resuelven mediante negociaciones, de forma que su relación global salga reforzada. Los conflictos en torno al precio, por ejemplo, están circunscritos por unos límites que, de superarse, obligarían a una de las partes a renunciar a la operación. El conflicto se refiere a las condiciones de las operaciones y, una vez resuelto, permite realizar estas operaciones.

Las partes tienen un interés común en encontrar unas condiciones aceptables para su relación, pero lo principal es que este interés común no significa que sean aceptables *cualesquiera* condiciones. En tanto que exista *una* condición aceptable, existe un conflicto entre las partes, hasta que éstas acuerden unas condiciones que sean *todas* aceptables.

En las negociaciones, cada parte dispone del veto a cualquier resultado que sea propuesto por la otra parte; en consecuencia, y para asegurar un acuerdo que sea aceptable para ambas partes, es necesario que un acuerdo aceptable comprenda lo suficiente de los intereses de cada parte como para evitar que una de ellas, descontenta, diga «no». Los acuerdos negociados son acuerdos voluntarios, porque si no lo fueran, una o ambas partes no necesitarían establecerlos.

Capítulo 2

LAS OCHO FASES

La negociación consiste en el acercamiento de dos partes opuestas, hasta que alcanzan una posición aceptable para ambas. Un dirigente sindical se refirió en cierta ocasión a las negociaciones salariales diciendo que «los dos bandos caminaban el uno hacia el otro». Añadió que lo suyo era conseguir que el bando empresarial caminara más deprisa y dando pasos mayores que el bando obrero.

2.1 **El espacio continuo de negociación**

La idea de acercamiento implica la de distancia y estos términos corresponden al lenguaje de la negociación diaria. Las partes hablan de «la distancia que las separa en esta cuestión» o, a la inversa, de que «están muy cerca», «próximos al acuerdo», etc., resumiendo con frecuencia lo que está ocurriendo en la negociación mediante explicaciones como éstas: «nos hemos acercado mucho», «la otra parte apenas ha dado un solo paso».

Podemos utilizar esta idea de la distancia entre las partes para ilustrar ciertos aspectos del proceso de negociación con objeto de comprender mejor lo que el mismo implica y lo que hacemos realmente cuando negociamos.

Si negociar significa moverse, es que nos movemos de un sitio para ir a otro. Nos movemos de nuestra posición preferida hasta llegar a un punto de acuerdo aceptable para ambas partes. Nuestro opositor hace exactamente lo mismo. La capacidad y habilidad de las partes son las que deciden la localización de este punto de acuerdo y la distancia que tenemos que recorrer para llegar a él. Puede que tengamos que andar mucho en tanto que nuestro opositor se mueve poco o nada, o viceversa. La habilidad del negociador consiste en recorrer la distancia mínima compatible con la obtención del acuerdo.

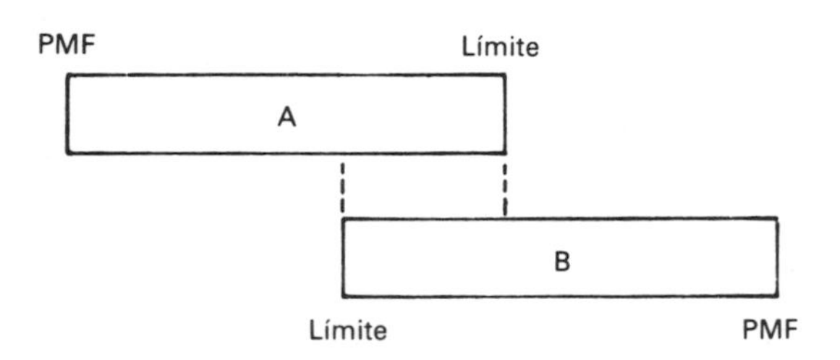

FIGURA 1

Un diagrama sencillo (figura 1), al que denominamos el espacio continuo de negociación, puede servirnos para ilustrar este proceso. Supongamos que hay dos partícipes en la negociación, A y B, y que cada uno de ellos, si pudiera elegir libremente, elegiría la posición más favorable (PMF) para sus intereses. Estas posiciones serán las representadas por los extremos del diagrama. Ambas partes, sin embargo, reconocen que es poco probable que logren convencer a la otra parte para que acepte su PMF, y que tendrán que desplazarse un poco hacia la posición de su opositor. Este desplazamiento tiene, sin embargo, un *límite,* llamado a veces «punto de ruptura», es decir, el punto que, de superarse, haría que las partes prefirieran romper la negociación a aceptar un acuerdo. Puede representar el límite de la autoridad del directivo para la negociación. Puede ser el mínimo precio aceptable para la operación o la cantidad mínima para un lote de fabricación.

El intervalo de acuerdo que se ofrece al negociador está situado entre su PMF y su punto de ruptura o límite. Como puede verse en la figura, estos dos segmentos se solapan. En el intervalo en el que se solapan existe la posibilidad de un acuerdo. Podemos llamar a este área «campo de intercambio». Puede existir un acuerdo en cualquier punto de este campo; la situación de tal punto dependerá del poder relativo de las partes y de su habilidad.

Este simple diagrama es estático. Los negociadores suelen tener razones, en el curso de la negociación, para revisar sus límites o solicitar autorización para hacerlo. Sobrepasarlos sin autorización puede dar motivo al rechazo del acuerdo negociado, y en el caso de unas negociaciones sindicales a la sustitución de los negociadores.

La posibilidad de una desaprobación, cuando no una sanción o un rechazo total, opera como una limitación sobre los negociadores que se plantean sobrepasar sus límites. Puede haber circunstancias que les obliguen a hacerlo, pero los negociadores suelen pedir autorización para ello si no tienen una discrecionalidad total.

«Solicitar nuevas instrucciones» es una razón legítima para posponer una decisión. Los negociadores sindicales suelen insistir en que el acuerdo ha de ser aprobado por la base, incluso cuando este acuerdo está dentro de sus límites, pues no es raro que la base rechace un acuerdo por creer que los negociadores debieran haber sido «más duros».

El intervalo que separa la PMF del límite puede ser grande o pequeño. Cuando los negociadores hablan de su «margen de maniobra» están refiriéndose, en efecto, al intervalo de posibles acuerdos que se les ofrece.

Es importante definir, en la fase de preparación, las PMF de ambas partes y el límite de las propias facultades para negociar.

En la figura 2 las líneas no se solapan: ambas partes podrían llegar a sus límites respectivos sin conseguir un acuerdo. En estas circunstancias, las negociaciones quedan estancadas, salvo que una o ambas partes recurran a una postura de fuerza con el fin de convencer a la otra parte para que reajuste su límite y conseguir así un encuentro de las dos líneas. Las formas más comunes son la huelga o el cierre patronal.

Los límites de cada una de las partes suelen estar, por lo general, más próximos. En la figura 2 los límites no se encuentran. Existe un espacio vacío entre ambos lados que indica que no hay acuerdo posible en tanto esta situación no cambie. Si el límite de una de las partes no llega al límite de la otra, la negociación queda en un punto muerto; una (o ambas) tiene que revisar su límite o solicitar autorización para hacerlo, siempre que la alternativa de una ruptura de las negociaciones, y todo lo que la misma suponga, sea menos atractiva que llegar a un acuerdo superando el límite inicial.

Conviene recordar, sin embargo, que utilizamos esta representación diagramática para facilitar la comprensión de las complejidades del proceso, sin pretender una descripción exhaustiva del mismo. Los diagramas solos no prueban nada, pero son útiles para fines ilustrativos y nos proporcionan una representación sencilla que coincide aproximadamente con el mundo real.

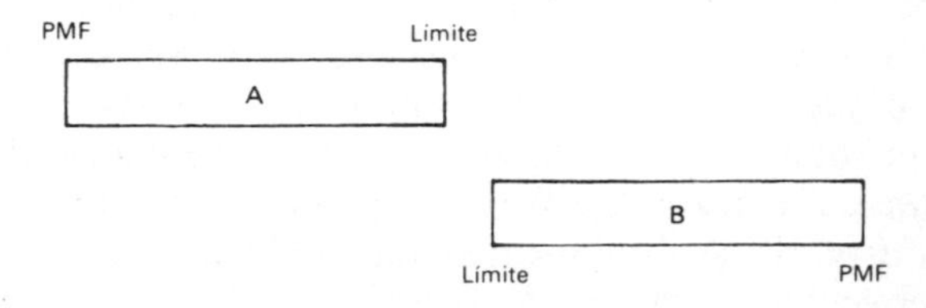

FIGURA 2

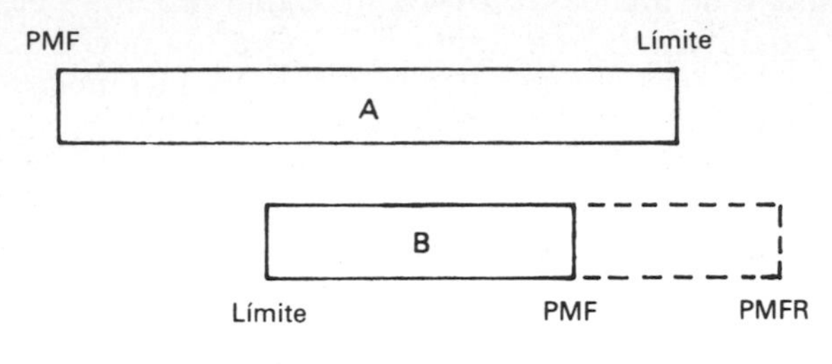

FIGURA 3

Los diagramas son estáticos y representan únicamente un solo tema. En la realidad, las negociaciones son dinámicas y tratan de muchas cuestiones. Para representar esta situación podríamos utilizar un conjunto de líneas, algunas de las cuales se solaparían y otras no. Las partes pueden llegar a un acuerdo amistoso si coinciden en sus objetivos principales y renuncian a los secundarios.

En muchos tipos de negociación las partes no pueden saber lo que quieren antes de las negociaciones; hay veces en que sus instrucciones son «sacar lo que se pueda» y esto no queda definido, a veces, hasta una vez iniciadas las negociaciones; por ejemplo, las negociaciones con unos scuestradores aéreos o con cualquier otro oponente en las que no se conocen claramente las «reglas» y los «riesgos» hasta que las partes se encuentran.

También puede ocurrir que haya que modificar la PMF y el límite previos a la negociación porque surjan nuevos datos o circunstancias una vez iniciadas las negociaciones. Ya hemos señalado que cuando en la negociación se ve que no hay solape entre los límites de las partes, como en la figura 2, una o ambas partes tendrán que revisar esos límites si quieren terminar con éxito la negociación. La figura 3 nos muestra otra posibilidad. En este caso, el margen de A se superpone a la PMF de B. Si B descubre esto en el curso de las negociaciones, tendrá la posibilidad de llegar a un acuerdo en su PMF o revisar ésta (PMFR), como indica el recuadro de puntos; si no lo descubre, puede llegar a un acuerdo en condiciones inferiores a las que hubiera tenido que aceptar.

Una negociación es diferente de, por ejemplo, un juego de cartas. Los negociadores no están limitados por las cartas que reciben; pueden modificar durante el juego las expectativas de lo que consideran un resultado favorable. Y pueden revisarlas en un sentido u otro: hacia abajo, si descubren que están poniendo en peligro un posible acuerdo, o hacia arriba, si su opositor está dispuesto a ofrecer más de lo esperado antes de iniciar las negociaciones.

Una vez que las negociaciones están en el campo de intercambio, el resultado depende de la habilidad de las partes. Cuanto más hábil sea una parte, más probable será que el opositor acepte una solución cercana a su límite, o si el límite del opositor no entra en su margen de acuerdo, más fácilmente convencerá a aquél para que revise este límite.

El proceso de negociación trata, en primer lugar, de llegar al campo de intercambio. Una vez en él, se trata de encontrar un acuerdo. Descubierta la posibilidad de un acuerdo, se trata de asegurarlo al mínimo coste y de llegar a un acuerdo sobre su ejecución.

La pregunta importante es: ¿en qué consiste el proceso de negociación?

2.2 **Comprensión del proceso de negociación**

Nosotros creemos que una negociación puede ser considerada como una secuencia más o menos ordenada de fases distintas que pueden ser presentadas a los directivos de una forma sencilla y creíble (el «método de las ocho fases»). Estas fases deben estar presentes en todas las negociaciones y adaptarse a todas las combinaciones de personalidad; por ello, no es necesario que las personas que vayan a utilizarlas empiecen por «cambiar el mundo». Las ocho fases proporcionan un marco para el tratamiento de la negociación y permiten el desarrollo y la aplicación de unas habilidades específicas de cada una de las fases.

Nuestra concepción de la negociación no es «moralista». No intentamos convertir a nadie a un nuevo método de negociación. Nuestro enfoque está basado en lo que los negociadores hacen, no en lo que debieran hacer. Tampoco el éxito de nuestro método depende de que ambas partes negociadoras utilicen el mismo método. No es como aquel club de conductores de la empresa XYZ, S. A., que ofrecía a los compradores de sus vehículos un seguro de accidentes a modo de descuento. La prima era de 100.000 pesetas en caso de muerte por accidente conduciendo un camión de la empresa. El asunto parecía bueno si no se leía la letra pequeña: para tener derecho a la indemnización, los conductores tenían que morir en una colisión con otro camión fabricado por XYZ, S. A.

El método de las ocho fases se basa en la experiencia y el estudio de los autores a lo largo de varios años, así como en el desarrollo de un programa de formación en el arte de negociar que ha tenido un buen éxito. Los principios expuestos en este libro han sido validados por la experiencia de la negociación de acuerdos laborales y comerciales. En nuestra opinión, la única pregunta que puede hacerse acerca de un programa de formación para la negociación es ésta: ¿resulta eficaz en la práctica? Nosotros hemos demostrado que este método resulta eficaz, demostración basada en los buenos resultados obtenidos en sus negociaciones por muchos directivos que han seguido nuestros cursos.

El método de las ocho fases se centra en la habilidad para negociar. Se trata de plantear esta habilidad en el entorno del mundo real; el éxito del programa de formación exige que los directivos profesionales (y los departamentos de formación de las empresas, tan preocupados por los costes) otorguen una alta credibilidad al mismo. Cualquier proyecto de formación de unos negociadores de alto nivel basado en unas teorías abstractas de la negociación y en la utilización de problemas enormemente artificiales ha de ser, en nuestra opinión, mucho menos eficaz que el método adoptado por nosotros.

En este sentido, nuestro enfoque es opuesto a la «escuela psicológica», que se basa fundamentalmente en los esquemas ideológicos de los negociadores. Algunos directivos aceptan esta escuela porque creen que los conflictos laborales tienen su origen en los desequilibrios personales de sus opositores. Esta es la idea que se desprende claramente de afirmaciones tales como que los trabajadores son «demasiado estúpidos» para saber lo que les conviene, que es, evidentemente, lo que conviene a este tipo de directivos. Esta idea suele ir acompañada de expresiones apenadas (si no nostálgicas) sobre el rumbo del mundo. Cuando esta idea se une a un enfoque académico que cree haber encontrado la forma de resolver los conflictos laborales, manipulando el comportamiento de los interesados, el conjunto resulta ser un método de formación muy persuasivo.

Los comentarios que podríamos hacer sobre los métodos diferentes del nuestro ocuparían un libro como éste y quebrantarían nuestra promesa de evitar polémicas. Nos limitaremos a afirmar que no aceptamos el valor *formativo* de estos otros enfoques de la negociación como pueden ser el de «la teoría de la necesidad» o el de la supercompleja «teoría de la probabilidad».

La teoría de la necesidad supone que el negociador es independiente de los intereses a los que presumiblemente sirve. Muy similares son las hipótesis de los métodos del análisis transaccional. Ambos pueden mejorar las relaciones interpersonales de las partes, aunque sólo sea por eliminar aspectos divisorios irritantes. Pero las negociaciones no surgen porque haya algún tipo de «malentendido» entre los participantes. Puede muy bien ocurrir que cada parte comprenda perfectamente a la otra y que, precisamente, esta comprensión sea la que cree la necesidad de negociar las diferencias. Al hacer esta afirmación, no ignoramos la importancia de «las formas»; preferimos sencillamente no sobrevalorarlas como medio para resolver conflictos. Consideramos que el conflicto es un hecho y no un obstáculo.

De forma similar, el muy complejo enfoque de la probabilidad deja mucho que desear. Se supone que las partes han de estimar las probabilidades de los diferentes resultados posibles para calcular después los premios o recompensas unidos a estos resultados, ponderados con las probabilidades de su ocurrencia. Este método promete una exactitud que resulta ser falsa. En su forma más extrema, la «teoría de los juegos» es aclaratoria, pero muy limitada en la práctica. El negociador se ve empujado a utilizar su criterio subjetivo, su capacidad de adivinación. Pero se mantiene la ilusión de la exactitud. El trabajo exigido por el cálculo del resultado no es pequeño, especialmente cuando el tiempo apremia. El método crea la posibilidad de que un participante racionalice prácticamente cualquier posición o preferencia mediante la asignación de cualquiera de las recompensas o de la probabilidad de su ocurrencia a un resultado determinado. Si ambas partes se equivocan en estos cálculos, eligiendo resultados conflictivos, volveremos a encontrarnos en el incierto mundo de la negociación al que este libro se refiere. En nuestra opinión, lo mismo podría empezarse por esta segunda etapa, evitando todo el lío aritmético.

Con lo dicho no hemos agotado todos los métodos distintos del nuestro. Tampoco somos tan arrogantes como para sostener que nuestro enfoque es el único posible. Lo único que sostenemos es que da resultado.

2.3 **El sistema de las ocho fases**

Nuestro sistema ha consistido en utilizar temas reales, con los que están familiarizados los directivos en su trabajo diario —salarios, disciplina, reclamaciones, condiciones de contratación, precio y calidad, plazo de entrega, personal sobrante, etc— y «acelerar» el proceso de negociación en el que estos temas suelen ser resueltos, centrándonos en lo que los participantes pueden hacer para impulsar sus negociaciones hacia una conclusión satisfactoria.

El sistema no requiere un «maquillaje» psicológico. Ni tampoco dedicarse a un estudio del comportamiento, ni de sus derivados como la técnica de la postura corporal, por muy interesantes que sean estos temas. Tampoco nos fijamos en el «mobiliario» de la negociación, como el tema de los asientos, los niveles de los ojos y otras comodidades. (Muchas negociaciones se desarrollan en fríos pasillos y en ruidosos talleres.) Los métodos de formación basados en estas orientaciones han de tener por fuerza un alcance limitado. Por otro lado, se desvían de la principal finalidad de la formación: proporcionar un marco por medio del cual pueda el alumno (no el profesor) comprender los conocimientos y técnicas que necesita, y practicarlos lo suficiente para ganar la confianza bastante para usarlos en el mundo real.

¿Pero qué es el método de las ocho fases? En pocas palabras, se trata de descomponer el desarrollo de la negociación en las ocho grandes etapas por las que atraviesa toda negociación que quiera llegar a un acuerdo, aunque no necesariamente en un orden rígido, ni con la misma dedicación de atención a cada una. Nosotros partimos de la hipótesis central de que es posible dividir una negociación en ocho fases, con independencia de que los negociadores sean o no conscientes de la existencia de las mismas. Bastan unos minutos para aprenderlas. El lector podrá hacer uso de ellas inmediatamente y, lo que es más importante, mucho tiempo después de haber entrado en conocimiento de ellas.

Aquello que diferencia una etapa de la siguiente son los diferentes conocimientos y técnicas que resultan adecuados en cada caso. Las ocho fases son un mapa del entorno en que se negocia. Al igual que en el caso de un mapa, hay una relación entre la posición relativa de sus diferentes partes. Pero, al igual que con cualquier mapa, no tenemos por qué empezar por el norte, el oeste o el centro. La finalidad del mapa es ayudarnos a identificar nuestros alrededores, de tal manera que podamos ponernos en marcha en la dirección correcta para llegar a nuestro destino, que en el caso de la negociación es llegar a un acuerdo.

Hay cuatro aspectos topográficos sobresalientes en el sistema de las ocho fases, de las que las cuatro principales son:

— Preparación.
— Discusión.
— Propuesta.
— Intercambio.

Entre estas cuatro fases principales hay otras etapas de menor importancia. Tras la discusión vienen una serie de señales, así como el paquete se manifiesta a continuación de la propuesta, y el cierre junto con el acuerdo van a continuación del intercambio. Esto nos da el total de las ocho fases.

1. *Preparación.*
2. *Discusión.*
3. Señales.
4. *Propuesta.*
5. Paquete.
6. *Intercambio.*
7. Cierre.
8. Acuerdo.

Hemos considerado auténticamente cruciales en toda negociación cuatro de las ocho fases, a saber: *preparación, discusión (o debate), propuesta e intercambio.* Si el negociador maneja torpemente estas fases, sea por inexperiencia, deficiente formación, pereza o falta de práctica, el trato resultante —si es que se alcanza— probablemente será peor que el que se deseaba alcanzar. Por esta razón, hacemos un énfasis especialísimo en los conocimientos y técnicas relacionados con estas fases.

En los siguientes capítulos vamos a presentar y analizar estas fases, destacando las habilidades requeridas por las técnicas que han de emplearse en cada una de ellas, al tiempo que comentaremos con mayor detalle su función en el proceso de la negociación.

Nuestra experiencia nos dice que es posible aprender los elementos necesarios de cada fase con poco esfuerzo, así como utilizarlos para evaluar lo que intenta hacer la parte contraria. Los lectores de este libro pueden hacerse con un marco que les permita entender sus negociaciones, y podrán aplicar este marco inmediatamente: sabrán lo que está ocurriendo en cada momento de la negociación, la siguiente posición a la que quieren llegar y lo que tienen que hacer para conseguirlo.

Capítulo 3

LA PREPARACIÓN

3.1 **Introducción**

Una buena preparación es el camino más seguro para llegar a una negociación satisfactoria. Lo que hagamos o dejemos de hacer antes de llegar a la mesa de negociaciones se revelará en lo que hagamos cuando lleguemos a ella.

Un negociador mal preparado tiene que limitarse a reaccionar ante los acontecimientos, nunca podrá dirigirlos. «Vamos a ver lo que nos dicen», suele ser la actitud de la persona mal preparada.

Un negociador deficientemente preparado demuestra antes o después que no sabe de lo que está hablando. Su opositor se dará cuenta de ello, ganará confianza en sí mismo y elevará el nivel de sus exigencias.

El arte de la dirección consiste en saber lo que hay que hacer y cómo hacerlo. Lo mismo puede decirse del arte de la negociación. Y precisamente es la fase de preparación la apropiada para definir lo que hay que conseguir y cómo conseguirlo.

Es muy frecuente que las partes pasen el tiempo reservado a la preparación ensayando los argumentos que van a utilizar para defender sus posiciones atrincheradas y para atacar las de la otra parte. El mal negociador mide su éxito por los puntos que marca a su contrario (viéndose tranquilizado por la actitud intransigente que crea en éste) en la creencia de que él tiene la razón y los demás están equivocados. Es esencial, por el contrario, una preparación constructiva.

El vendedor que se prepara calculando los diferentes descuentos que puede ofrecer para el caso de que le aprieten puede conseguir el pedido, pero, posiblemente, en las condiciones más desfavorables.

El jefe de personal que se prepara estimando la forma menos costosa de evitar un paro sólo conseguirá dar a los trabajadores la impresión de que cede siempre a la presión.

Todos los negociadores, actúen como compradores, vendedores o en un tema laboral, deben considerar la preparación como una actividad continua y no como una tarea del día anterior a la misma negociación.

El negociador tiene que conocer su actividad, tiene que saber lo que quiere a corto y largo plazo. Tiene que saber por qué quiere conseguirlo. También tiene que estar informado sobre las aspiraciones y circunstancias de su opositor. El comprador industrial tiene que estar informado sobre su empresa, sus proveedores, los competidores de éstos y los de la propia empresa. La dirección ha de estar informada sobre los sindicatos con los que ha de negociar, su política, su personalidad y sus miembros, de la mis-¿ma forma que los dirigentes sindicales han de estar informados sobre las empresas con las que han de negociar.

Es increíble, pero se sabe de negociadores de empresas que admiten haber leído pocas veces, o ninguna, los periódicos sindicales que circulan libremente por sus talleres. Siempre será un misterio que estos hombres puedan negociar eficazmente con unos sindicatos de los que no saben una palabra. Por ejemplo, la actividad sindical en una zona puede depender más de la proximidad de las elecciones sindicales que de cualquier tema relacionado con la situación de los trabajadores de una determinada fábrica.

Suele ser útil dividir la preparación en cierto número de temas clave que puedan servir de orden del día: objetivos, información, concesiones, estrategia y tareas.

3.2 **Los objetivos**

El tema prioritario de la preparación es establecer los objetivos; lo demás viene a continuación. Las partes pueden llegar a la mesa de negociaciones con todo tipo de objetivos, pero rara vez con una idea sobre el orden de prelación de estos objetivos. A veces aceptamos que el objetivo principal es mantener el *status quo* y también que puede alterarse ese orden en el curso de la negociación. La preparación conlleva la asignación de un orden de prioridad a los propios objetivos y el cuestionamiento de su realismo. Poco se gana pretendiendo lo imposible. Hay que tratar también de estimar el probable orden de prioridad de los objetivos del contrario.

Durante las negociaciones suele ser difícil determinar ese orden. Es muy fácil que nuestro opositor haga un esfuerzo considerable tratando de ocultar que tiene unas preferencias y de convencernos de que todo lo que

CONOCER AL CONTRARIO

Un dirigente sindical

«Cuando se ha negociado tantas veces con esos tipos como yo lo he hecho, sabes la forma en que van a reaccionar ante cualquier propuesta que les hagas: negativamente. Si están amables es que quieren algo.»

El directivo de una refinería

«Martínez nunca acepta una cosa a la primera, y a veces ni a la segunda ni a la tercera. Se puede adivinar cuándo va a decir que sí: cuando sus parrafadas son más cortas.»

Un jefe de taller

«No sirve de nada apurar al delegado. No le gustan las prisas. Cuando está preparado para decir algo, lo dice, pero no antes.»

Director de subcontrataciones

«No se deje engañar por la aparente facilidad con la que XYZ, S. A., acepte la solución que usted ofrezca a un problema planteado por ellos. Siempre hay un "pero" y ese "pero" le costará a usted algo.»

pide tiene la misma importancia. El negociador no puede quejarse de este tipo de *«bluff»* si también él lo practica.

Recordemos que nuestro objetivo general es obtener la mayor parte posible de nuestros objetivos quedándonos tan cerca como podamos de nuestra PMF. Pero la misma existencia de un intervalo entre la PMF y el límite significa que algunos de nuestros objetivos son menos importantes que otros y que disponemos de cierto número de posiciones de repliegue.

Pero hay que haber pensado sobre ello durante la preparación. Incluso en el caso de que no hayamos pensado en nuestros objetivos —creyendo erróneamente que todas nuestras peticiones tienen la misma importancia para nuestros intereses—, tendremos que pensar en los objetivos de nuestro opositor y en el orden de preferencia que habrá establecido para ellos. Es la diferencia entre estos objetivos y los nuestros la razón primera de la negociación, y uno de los dos tendrá que hacer algún movimiento para que la negociación llegue a una conclusión satisfactoria.

Si suponemos que todos nuestros objetivos son vitales y nuestro opositor hace lo mismo y, además, ambos suponemos que será el otro quien haga el primer movimiento, vamos derechos hacia un punto muerto (al no estar dispuesta ninguna de las partes a moverse) o a una larga sesión (durante la cual ambos tendremos que hacer la preparación que empezamos por eludir).

Prepararse en el curso de la misma negociación es lo peor que puede hacerse, porque limita nuestra capacidad de poner a prueba la información que el opositor nos está dando acerca de sus objetivos e intenciones. La preparación debe proporcionarnos información sobre nuestro opositor, información que podremos comprobar a lo largo de las sesiones de negociación.

Si nuestro interlocutor nos dice que, a menos que consiga esto y lo otro, «el sindicato votará la huelga», o «las ofertas de la competencia resultarán mucho más atractivas», etc., ¿cómo saber si es cierto? ¿Por la forma en que lo dice? ¿Porque parece irritado o sincero? Esta, evidentemente, es una forma de saberlo, pero muy poco fiable.

Otra forma sería empezar por investigar las opiniones existentes en los talleres o realizar un estudio preciso del mercado para cualquiera que sea el producto que se trata de vender o comprar. Esta investigación forma parte de la preparación.

Claro está que también debemos tener en cuenta que nuestro opositor puede manipular la información que recibimos, dando deliberadamente a conocer sus posiciones bastante tiempo antes de iniciarse las negociaciones formales.

Pero volvemos a insistir en que sólo un análisis bien preparado de lo que ocurre puede proporcionar a los negociadores una información precisa sobre lo que es una expresión genuina de malestar y sobre lo que no es más que una «ambientación» ritual.

Este aspecto es el que hace de la preparación una actividad constante a lo largo del año. Reunir información sobre la otra parte es elemental, cualquiera que sea el objeto de la negociación. No hay por qué suponer que el opositor viene a la mesa de negociaciones directamente procedente de un medio esterilizado, con unos intereses y objetivos totalmente homogeneizados. No podemos pensar en ningún grupo de más de tres personas en el que no exista alguna divergencia de opinión. Cuanto mayor sea el grupo, mayor será la probabilidad de que alguno de sus miembros no esté de acuerdo con la posición del jefe.

Entre los miembros del grupo interlocutor ha de haber por fuerza diferentes criterios en cuanto al orden de prioridad de los objetivos, diferentes sensibilidades ante distintos tipos de presión, diferentes aspiraciones, diferentes estimaciones acerca de la posición final de la otra parte. El desconocimiento de este aspecto del contrario, cuando buena parte de esta información es de dominio público o, al menos, está a nuestro alcance con escaso esfuerzo, es un inconveniente inexcusable. Puede verse que la información desempeña un papel vital en la configuración de los propios objetivos.

3.3 El G.P.T.

Sólo nosotros mismos podemos decidir cuáles son nuestros objetivos en una negociación. Al fijarlos, estamos de hecho definiendo los criterios que nos servirán para juzgar el «éxito» o el «fracaso» de la misma. También estamos eligiendo el nivel más probable de resistencia de la otra parte a nuestras propuestas, cualesquiera que éstas sean; de ahí la tendencia a elegir unos objetivos «débiles» —apuntando bajo— que caracteriza a los negociadores carentes de confianza en sí mismos o en sus propuestas o que se dejan intimidar por su opositor, antes incluso de reunirse con él.

Nelson dijo en la batalla de Copenhague (1801): «Las defensas danesas sólo parecen formidables a quienes son todavía unos niños en la guerra», y añadió: «Yo puedo destruirlas; en todo caso, espero poder intentarlo.» ¡Qué contraste entre el espíritu de Nelson y el de esos negociadores que renuncian a unas posiciones valiosas antes de defenderlas o utilizarlas para conseguir concesiones de sus oponentes!

Los objetivos han de ser realistas. Han de tener una posibilidad real de ser alcanzados. Habrá circunstancias previas, o surgidas en el curso de las negociaciones, que impidan alcanzar algunos o la totalidad de los objetivos más favorables. La experiencia y una planificación detallada contribuirán a la elección de unos objetivos realistas. Junto con el método G. P. T.

¿Qué es el G. P. T.?

Empecemos por hacer una relación de nuestros objetivos; todos ellos, incluso aquellos que son implícitos (conservar el empleo, evitar una guerra, mantener el actual nivel de ventas, etc.). La relación completa podríamos definirla como la posición más favorable, es decir, lo que nos *gustaría* conseguir. Muchos de los puntos de la relación pueden ser cosas que ya disfrutemos, y el resto aquellas que estén todavía por conseguir. Hay que tener en cuenta que en cualquier negociación pueden volver a sacarse a debate todos los puntos y que es posible perder algunos que previamente hubiéramos considerado seguros.

Si reconocemos que no todos nuestros objetivos tienen posibilidades de ser logrados, habrá que abandonar algunos a medida que la negociación vaya progresando. Pero, ¿cuáles? La respuesta es, obviamente, «los menos importantes», los puntos «que nos gustaría conseguir». Esto no implica que hayan de abandonarse por completo. Podemos limitarnos a reducirlos. Por ejemplo, pasar del 100 por cien del contrato a precios netos y entrega a los noventa días, al 100 por cien del contrato a precios netos y entrega a los sesenta días.

Una vez identificado el objetivo de menor importancia, estamos en situación de definir aquellos que, en situación normal, esperamos conseguir, aquellos que *pretendemos* conseguir. Por ejemplo, el 75 por ciento del contrato, con un descuento del 12 por ciento sobre los precios netos y entrega a los sesenta días.

Frecuentemente nos encontramos con considerables márgenes de flexibilidad en este terreno. Por ejemplo, 50 por ciento del contrato a precios netos, 75 por ciento del contrato con un 12 por ciento de descuento sobre los precios netos, o 100 por cien del contrato con un descuento del 15 por ciento.

Todas estas posiciones suelen ser opciones igualmente aceptables. Alternativas de este estilo pueden ser extremadamente valiosas en una negociación; volveremos sobre el tema en el capítulo del intercambio.

Ya va siendo hora de identificar el objetivo que *tenemos* que conseguir. Frecuentemente se le denomina «línea de fondo», posición de retirada o posición límite. Existen objetivos sin los cuales sería preferible no llegar a ningún acuerdo.

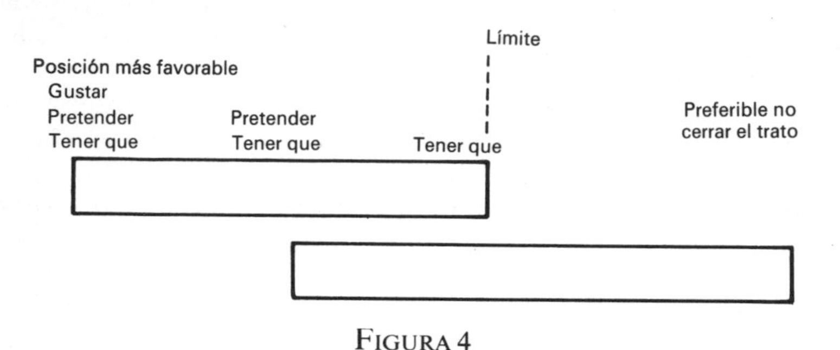

FIGURA 4

El ser preciso al respecto es, a veces, muy difícil. Por ejemplo, si el 42 por ciento del contrato es justamente aceptable con un 18 por ciento de descuento sobre los precios netos, ¿lo sería también el 41,5 por ciento del contrato? En otras palabras, ¿en qué punto nos marcharíamos con el contrato? Algunos negociadores duros dedican el tiempo a comprobar la posición límite del oponente.

Los objetivos que se exponen en cualquier negociación deben esperar hasta determinado momento para ser definitivamente fijados. Las circunstancias, las personas, el poder que detentan, el tiempo y la información, entre otros, son elementos que pueden alterar los objetivos y su importancia relativa, siendo esencial estar constantemente examinándolos y revisándolos.

Más allá de los objetivos que pretendemos conseguir se encuentran los objetivos que nos gustaría obtener. Se trata de objetivos aún más ambiciosos, que podríamos conseguir en las circunstancias más optimistas y que si tuvieran que ser sacrificados en el curso de las negociaciones, el negociador no se sentiría excesivamente molesto ni culpable.

LA ELECCIÓN DE LOS OBJETIVOS

Una gran empresa decidió reorganizar una de sus explotaciones más importantes. La reorganización implicaba el cierre progresivo de una fábrica muy grande, cuyo personal tenía un elevado nivel de militancia sindical, y la apertura de tres fábricas más pequeñas, modernas y avanzadas tecnológicamente. La actual fábrica era ineficiente, con un exceso de personal y una serie de prácticas divisorias y restrictivas.

La solución ideal sería el cierre de la fábrica actual y la apertura de las nuevas fábricas con el fin de reducir personal hasta niveles económicos e introducir una tecnología más moderna. Partiendo de que la negociación supone una imposibilidad de conseguir la posición más favorable (PMF), la empresa podría clasificar sus objetivos como sigue:

G = A la empresa le gustaría conseguir una reducción inmediata de la plantilla.

P = Para seguir siendo competitiva, la empresa pretende introducir en las nuevas fábricas nuevas tecnologías.

T = La supervivencia de la empresa exige que se fabrique y se venda. El objetivo T es, por lo tanto, mantener la continuidad de la producción. De nada vale «tener razón» en una fábrica desierta.

El plan de negociación podría exigir una serie de intercambios entre estos objetivos, de forma que la empresa podría renunciar a una reducción inmediata de personal —un factor emotivo que puede inhibir el éxito de la negociación— a cambio de que las nuevas fábricas se pongan a trabajar sin alteraciones con la nueva tecnología. Un acuerdo duradero para una amortización natural de los puestos de trabajo a lo largo de un período de tiempo podría ser suficiente para garantizar el éxito global de la negociación.

NO CONFUNDAMOS LOS OBJETIVOS

Una empresa fabricante de neumáticos, ubicada en una zona industrial muy deprimida de Escocia, tenía cuatro turnos de noche a la semana (de lunes a jueves). Con objeto de mantener la fábrica en un nivel competitivo dentro del grupo multinacional, la dirección necesitaba que se trabajara un turno extra los viernes. El sindicato se negó a aceptar esto (les gustaba el que no hubiera turno de noche los viernes).

Tras prolongadas negociaciones, la empresa amenazó con cerrar la fábrica si el sindicato se negaba a cooperar. El sindicato rehusó cambiar su planteamiento a pesar de los repetidos avisos de cierre dados por la dirección. Finalmente, la dirección llevó a cabo su amenaza y los trabajadores fueron despedidos por falta de trabajo. De tal manera que la persecución de un objetivo que *gustaría* conseguir, significó el sacrificio de un objetivo que se *tenía que* lograr, como era el mantenimiento de los puestos de trabajo.

La adaptación de los objetivos al marco G. P. T. obliga a considerar la relación de fuerzas con la parte contraria. Se trata forzosamente de un ejercicio subjetivo. Es posible sobrestimar los puntos fuertes y débiles propios y subestimar los del opositor. Es posible equivocarse totalmente respecto a la relación real de fuerzas entre ambas partes. El opositor puede «irracionalmente» preferir un acuerdo peor que el que se le ofrece, o deci-

OBJETIVOS Y CONCESIONES

Un piloto de globo de aire caliente planeaba volar entre Londres y París. Definía sus objetivos de este modo:

«Me *gustaría* llegar a París de una tirada, si bien lo que *pretendo* es aterrizar en Francia. Por todos los medios *tengo que* evitar el caer en el Canal de la Mancha.»

Estos objetivos no deben confundirse con las concesiones que estuviera dispuesto a negociar con objeto de lograr los objetivos.

«Estoy dispuesto a esperar a que las condiciones meteorológicas sean favorables. También dispongo de bastante lastre que tirar por la borda para ganar altura, y una buena cantidad de propano para calentar el globo.»

GRAN BAZAR

En una reciente visita al Gran Bazar de Estambul, uno de los autores de esta obra decidió comprar un brazalete de oro para su esposa. Después de visitar otros comercios, se dirigió al bazar poco antes de salir para el aeropuerto. En uno de los comercios especializados en artículos de oro situado en las afueras del bazar encontró el brazalete que quería y tras el típico intercambio de ofertas convino un precio de aproximadamente veinte mil pesetas. Pero, lamentablemente, el comerciante no aceptaba ni tarjetas de crédito ni eurocheques, y el comprador ya no tenía a mano suficiente dinero en efectivo.

Dentro de la zona cubierta del bazar encontró un brazalete idéntico en un comercio que sí admitía tarjetas de crédito. El intercambio de ofertas redujo el precio de las cuarenta a las treinta mil pesetas, precio por debajo del cual el comerciante se negaba en redondo a vender.

Dilema: pagar una sobreprima del cincuenta por ciento y hacer feliz a su esposa, o no hacerlo y mantener la propia consideración de buen negociador. (Los otros dos autores han convenido en dejar el resultado definitivo de la negociación a la imaginación de los lectores, sencillamente indicando que nuestro colega se dejó guiar por la alternativa que representaba el objetivo que *tenía que alcanzar.)*

dir «irracionalmente» aplicar una penalización costosa que le perjudique más de lo que vale la concesión que puede así obtener.

El análisis relativo de los puntos fuertes y débiles de ambas partes nos facilita la valoración de la prioridad relativa y del realismo de los objetivos propios, debiendo abandonar los menos realistas antes del inicio de las negociaciones.

Al elaborar la lista G. P. T., debemos pensar también en la lista de nuestro opositor. Si los objetivos de éste no son evidentes de una forma inmediata, sí aparecerán en las primeras etapas de la negociación. A medida que avance ésta, irán precisándose aún más y tendremos que valorar continuamente, según lo que vemos y oímos, el apego de la otra parte a sus objetivos. Ello requiere una preparación reflexiva y alerta, reforzada en alguna medida por la necesidad de hacer algunas valoraciones sobre las reacciones probables de nuestro opositor ante el conjunto de nuestras exigencias.

UNA APLICACIÓN DEL G. P. T.

Algunas de las causas que un negociador tiene que defender son, aparentemente, extraordinariamente difíciles. Sin embargo, hay muchas razones que obligan a defender lo indefendible. En estos casos es muy probable que haya penalizaciones. De ahí que exista una gran presión para llegar a un acuerdo y evitar unas penalizaciones costosas, pero sin renunciar, sino todo lo contrario, a defender los principios.

En estos casos es vital recurrir al método G. P. T.

Un ejemplo clásico es el del personal que acusa a un encargado de tener «un comportamiento absolutamente inaceptable». El encargado había sido acusado más de una vez de utilizar un lenguaje grosero y abusivo con las trabajadoras. La dirección tenía escasas pruebas de estas acusaciones. Sin embargo, existía un fuerte malestar entre las mujeres.

Y ocurrió un nuevo incidente.

La petición inmediata fue de despido del encargado. Naturalmente, la empresa tenía que oponerse y se opuso. Los trabajadores iniciaron una huelga no oficial. Había que iniciar unas negociaciones sin solución aparente. La empresa sabía que despedir a este encargado suponía dejar a todos los demás encargados en una posición peligrosa, y que además habría una respuesta del sindicato de mandos.

La empresa tenía cuatro objetivos:

1. Conseguir una vuelta inmediata al trabajo.
2. Mantener la confianza y seguridad de los directivos y encargados.
3. Defender el procedimiento oficial de huelga, en contra de las huelgas salvajes.
4. Ganar tiempo para tratar discretamente con el encargado.

Aparentemente, todos estos objetivos son de categoría T.

El objetivo explícito de sindicato era forzar el despido del encargado. La empresa estableció el siguiente orden entre sus objetivos:

G = Conseguir la vuelta al trabajo sin hacer ninguna concesión.
P = Demostrar que las huelgas salvajes no eran rentables y evitar así la ruptura de los cauces establecidos.
T = Conseguir la vuelta al trabajo y evitar repercusiones por parte de los encargados y directivos.

El sindicato aceptó en las negociaciones la posición, claramente expresada, de que la dirección no despediría al encargado en ningún caso. Respondió exigiendo que éste se disculpara públicamente y recibiera una amonestación con amenaza de despido.

Esta propuesta era también inaceptable para la empresa, pero había habido un acercamiento que posibilitaba la negociación. La empresa estimó que los objetivos del sindicato eran:

G = Cobrar las horas de huelga.
P = Conseguir para el futuro protección frente al encargado.
T = Obtener una disculpa pública.

La empresa tenía que proponer una oferta que tuviera en cuenta los objetivos de sindicato, y propuso ésta:

> «Si se vuelve inmediatamente al trabajo y se firma un compromiso de llevar toda reclamación futura por los cauces establecidos, la empresa garantiza que cualquier incidente futuro con el encargado tendrá como respuesta una acción disciplinaria. Además, en consideración a esa aceptación del procedimiento establecido para la solución de este tipo de problemas, la empresa concederá graciosamente la retribución de las horas perdidas.»

La propuesta recogía una proporción de los intereses de ambas partes suficiente para alcanzar un acuerdo.

3.4 **La información**

Ya hemos visto que la definición de los objetivos exige un volumen considerable de información. Ahora bien, habrá una parte de esta información que será conocida de antemano, por lo que habrá que tratar, durante las primeras etapas de la negociación, de corregir esta información y contrastar las hipótesis establecidas.

Una vez que una parte comienza a hacer hipótesis sobre las reacciones probables de la otra ante sus peticiones o sobre sus objetivos más probables, está fijando ya la naturaleza de sus tareas para las primeras fases de la negociación. Hacer hipótesis es una cosa; actuar como si estas hipótesis fueran absolutamente ciertas es otra cosa muy diferente.

Las hipótesis no son sino pronósticos probables y, a veces, ni eso. Como hacemos hipótesis continuamente y como buena parte de ellas resultan ciertas, tendemos a descuidar un poco algunas cuya precisión deja mucho que desear.

Cuando tomamos un tren esperamos que llegue a su destino. Así ocurre la mayoría de las veces. Cuando dejamos el coche en un garaje para que lo reparen, esperamos recuperarlo y no que el garaje niegue haberlo recibido (aunque muy pocos esperan que esté arreglado en el plazo prometido), etc. Cuando salimos de nuestra casa, esperamos encontrarla en el mismo lugar al volver, y desde luego no pensamos encontrarnos con que un desconocido se ha instalado en ella. Estas expectativas se basan en nuestras hipótesis sobre el mundo que nos rodea. La mayoría de las veces acertamos.

Suponemos la existencia del orden y de la regularidad porque así nos lo dice nuestra experiencia. Hemos contrastado nuestras hipótesis. Pero en una negociación no es posible contrastar de antemano las hipótesis; el contraste de éstas ha de hacerse en la misma negociación; de ahí que entre nuestras primeras tareas ha de estar la contrastación de las hipótesis sobre las intenciones y la flexibilidad de nuestro opositor. Si actuamos sin contrastar tales hipótesis podemos perder inadvertidamente muchas de nuestras energías (y puede que algunas de nuestras concesiones más preciadas) tratando de negar algo que aquél no nos está exigiendo, o de exigir algo que no nos está negando.

En el apartado de la «información» se debe analizar la información que estamos dispuestos a dar a la otra parte y el momento y la forma de hacerlo. Hay informaciones que pueden llevar a la otra parte a revisar considerablemente sus objetivos, que pueden resultar totalmente idealistas a la luz de aquéllas. La experiencia demuestra que los negociadores tienden más a ocultar información que a comunicarla. Este ocultamiento puede originar largas horas de discusiones sin sentido.

Para empezar, podemos considerar que es la falta de información lo que crea la necesidad de la negociación. Si una parte tuviera conocimiento de *todos* los hechos, partiría de la posición límite del oponente y rechazaría cualquier cambio.

Pero rara vez tenemos una información plena, y esto es lo que hace imprevisibles —y divertidas— las negociaciones.

Se deduce que cuanta más información se pueda recoger sobre la otra parte (situación actual, historial de sus interrelaciones, estilo de negociar, personalidad, motivaciones, nivel cultural, etc.), tanto mejor será el acuerdo al que se llegue. Aun así, no deben perderse de vista los dilemas del negociador —de dónde arrancar, cuándo y hasta dónde modificar la postura inicial, cuándo pararse y asegurar posiciones— si bien la información le ayuda a decidir lo que se debe hacer y cuándo debe hacerse.

La mejor de las informaciones otorga a la persona que la posee el mayor poder en una negociación. Equivocado sería suponer que esto significa que la información debe ocultarse por todos los medios a la otra parte. Antes al contrario, el brindar a la otra parte una información seleccionada será lo que defina sus expectativas en la dirección correcta.

Podemos clasificar la información en dos categorías: información sobre lo que se desea y lo que no, e información sobre la intensidad de uno u otro tipo de deseo.

Tenemos también que definir claramente nuestra posición más favorable, la posición de acuerdo más probable, el límite de nuestra autoridad negociadora, las concesiones que estamos dispuestos a tratar, y las consecuencias jurídicas y financieras de estas concesiones. La información necesaria dependerá del entorno de la negociación. Para nuestros propios fines, podemos elaborar una lista de comprobación detallada con la información que hemos empleado en ocasiones anteriores, y utilizarla como guía para el futuro.

INFORMACIÓN PERJUDICIAL

Un ejecutivo preocupado y cargado de enormes maletas, penetró en uno de los principales hoteles de Milán durante una feria de muestras, y dijo: «He recorrido casi toda la ciudad en busca de una habitación y no he podido encontrar ninguna. ¿Tienen ustedes alguna libre?» «Sí, señor, tenemos habitaciones libres», fue la respuesta. «Bien», dijo el ejecutivo, «veamos qué descuento están ustedes dispuestos a ofrecerme». Después de haber descubierto el apuro y la desesperada necesidad en que se encontraba, harto remotas eran sus posibilidades de obtener el mínimo descuento.

INFORMACIÓN ACERTADA

Un empresario libanés había marcado el objetivo de obtener un descuento del 33 por ciento en el comercio de un amigo suyo al que estaba visitando para comprar un equipo de vídeo.

Cuando solicitó dicho descuento, su amigo le informó que a pesar de su condición de distribuidor de la marca, solamente le quedaba un 12 por ciento bruto en la venta de aquellos equipos.

Inmediatamente, el empresario se vio forzado a reconsiderar sus objetivos ya que sus expectativas de descuento habían bajado por causa de la información recibida.

LA INFORMACIÓN

Una importante sociedad multinacional utiliza el ordenador para tabular la incidencia de los problemas planteados por el personal en sus reclamaciones y los diferentes niveles «jurisdiccionales» a los que llegan en las mismas. Este sistema permite a la empresa valorar la importancia que los problemas planteados en el curso de las negociaciones anuales tienen para el trabajador de base. Pertrechada en esta preparación previa, la empresa está en mejores condiciones de estimar la seriedad de los problemas y la valoración que el sindicato puede hacer de las concesiones obtenidas en estas áreas. Ello, a su vez, facilita a la empresa el cálculo de las concesiones recíprocas que puede hacer, si es que debe hacer alguna. La empresa puede centrarse así en los temas vitales para la otra parte y no dejarse distraer por lo que ésta dice.

En menor escala, cualquier empresa puede reunir una información parecida «escuchando» periódicamente a sus directores de personal o contrastando las opiniones de los talleres, recogidas en los contactos informales entre los encargados y el personal.

3.5 **La estrategia**

Realmente ahora deberíamos ocuparnos de la estrategia. Sin embargo, es mejor tratar este tema más adelante, en el capítulo 11, una vez analizadas las diferentes etapas del proceso de negociación. No obstante, es necesario proyectar bien la estrategia durante la etapa de preparación: ¿Qué plan de acción se va a seguir para alcanzar las metas previstas?

La planificación de la estrategia constituye una parte importante de la preparación.

Conviene hacer una llamada de atención en este momento. Evitemos hacer unos planes estratégicos excesivamente elaborados. Por ejemplo: «En el movimiento 36 les ofrecemos el modelo verde con un 10 por ciento de descuento»; el peligro de este plan es que la otra parte puede no haber previsto en su plan un movimiento 36. Recordemos que no ha leído el informe que hemos preparado sobre ella. Una estrategia puede compararse con un árbol de decisión (ver figura 5). Se desea llevar la negociación del punto A al punto B. La estrategia requiere que se tomen determinadas decisiones clave, que se concreten determinados acuerdos igualmente importantes y que se acepten determinados supuestos, siguiendo el progreso de las «x» desde el punto A hasta el B. Nuestra estrategia debe considerar todas las posibles formas que pueda adoptar la negociación y, si vemos que ésta toma una dirección imprevista, tendremos que hacer una pausa para reconsiderar nuestra estrategia.

La estrategia no debe resultar excesivamente rígida, sino capaz de reaccionar ante los hechos surgidos en el curso de la negociación.

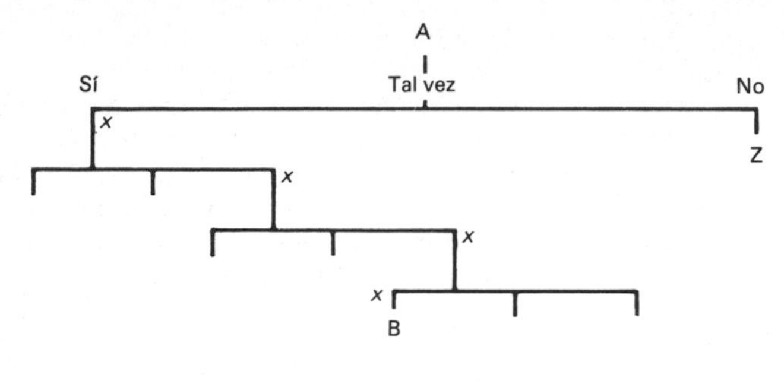

FIGURA 5

3.6 **Las tareas**

En la multitud de negociaciones de pequeña importancia de nuestra vida diaria participamos como personas individuales y rara vez como miembros de un equipo. Pero cuanto mayor es la importancia de la negociación más frecuente es que cada parte esté representada por un grupo de personas. De ahí que convenga considerar las funciones de estas personas en la negociación.

La experiencia demuestra que resulta muy difícil hablar, escuchar, pensar, escribir, observar y planear simultáneamente. (A algunas personas les resulta difícil realizar incluso una sola de estas funciones.) Es importante repartir las tareas entre los miembros del equipo negociador.

Denominamos a estas tareas «dirección», «síntesis» y «observación». Cuando trabajan sólo dos personas es necesario que el sintetizador se encargue también de la tarea de observación. Naturalmente, cuando se actúa solo, hay que asumir las tres tareas.

El *dirigente* es la persona que lleva el trato directo, cara a cara, en la negociación. No es necesario que esta persona sea el miembro de más categoría del equipo. De hecho, se pueden obtener beneficios muy positivos si el dirigente no es la persona de más categoría. Si el dirigente negocia hasta el límite de sus atribuciones y llega a un punto muerto, no cabría entonces una posición de reserva que pudiera ser autorizada por la persona de más categoría. El peligro reside en que la otra parte se dé cuenta de que está hablando con el mono y no con el organillero, y entonces exijan hablar directamente con la persona de más categoría.

La labor del dirigente es llevar las riendas de la negociación. Lleva el grueso de la conversación, hace las propuestas, trata las concesiones y solicita las suspensiones. La labor del dirigente es muy absorbente y hay ocasiones en las que éste se desvía del asunto o le apartan de él, pierde el hilo de la conversación, se siente cansado, pierde la perspectiva de los objetivos, se encuentra metido en un atolladero en el medio de una discusión, o se ve acosado con preguntas que no puede o no quiere contestar inmediatamente.

Aquí es donde entra en juego el sintetizador.

Las tareas del *sintetizador* son el formular preguntas, aclarar lo que se le pida, resumir las generalidades, y en efecto, ganar tiempo a favor del dirigente, manteniendo encarrilada la negociación. Se puede invitar al sintetizador a que aporte ideas («¿Qué opinas al respecto, Juan?»), aunque lo que menos se desee de él sea una opinión. Esto no deja de ser una petición, en clave, para que nos echen una mano. «Creo que tú podrías resumir la situación, ¿verdad, Juan?» sería una invitación igualmente válida.

Un equipo negociador bien conjuntado hace uso abundante del sintetizador. En ningún momento debe tratar el sintetizador de hacerse cargo de la dirección. Un buen sintetizador ha de ser capaz de advertir cuándo el dirigente se encuentra en dificultades, para brindarse a intervenir. También puede llamar la atención sobre detalles que pudieran haberse pasado por alto, limitándose a hacer preguntas sobre ellos.

La tercera de las tareas es la correspondiente al observador. Sin duda alguna, es ésta la tarea más difícil de realizar bien y exige del observador el escudriñar, escuchar y registrar, captar las sutilezas y matices, «leyendo» en el ambiente de la negociación.

En el transcurrir de los años, se ha hecho evidente a los autores, al impartir nuestros cursos de conocimientos y técnicas de negociación, cuánto más fácil resulta ser *observador* en la sala de proyecciones, viendo cómo los participantes negocian en el estudio, de lo que es observar como parte de un equipo, inmerso en una negociación auténtica. Muchas cosas que resultan evidentes en la pantalla o en el monitor de vídeo, se nos escapan por completo en la mesa de negociaciones.

Achacamos esto al hecho de que los observadores de la mesa están más implicados personalmente en los asuntos y desean aportar algo a las

---

LA BOCA PARA HABLAR, EL CEREBRO PARA PENSAR

La mayor parte de los profesionales de la venta trabajan solos y desarrollan una técnica para ganar tiempo y ordenar las ideas, que consiste en soltar una perorata, ensayada de antemano y llena de clichés, trivialidades, lugares comunes y elucubraciones técnicas, prevista para rellenar el silencio con palabras mientras el cerebro decide lo que se va a hacer a continuación.

Una técnica más eficaz es hacer un resumen de hasta dónde han progresado las negociaciones, *callándose* luego para pensar.

discusiones. Podemos interpretar como que una gran parte de su concentración está dirigida sobre lo que podrían decir si se les preguntara, más que en la observación efectiva de lo que están diciendo los demás. El mejor método para que se concentren los observadores, es prohibirles hablar durante la negociación y pedirles la opinión solamente durante las suspensiones.

Se verá que el combinar la parte comunicativa del sintetizador con la parte escudriñadora del observador, está cargado de dificultades. Y cuando a estas dos tareas se les añade la de dirigir una negociación, las dificultades crecen en progresión geométrica.

3.7 Lista de comprobación. La preparación

- Recomendamos el uso de la siguiente lista de comprobación en la fase de preparación. Hay en ella temas que es necesario estudiar antes de la negociación, otros en el curso de ella, otros deben ser estudiados antes y en el curso de la negociación y todos ellos deberían ser repasados durante los descansos. El orden elegido no tiene mayor importancia.

Objetivos	Prioridades - *límite*
	¿Son realistas?
	Objetivos de la otra parte
Información	Cuestiones, actitudes
	Equilibrio de poder
	Personalidades, precedentes
	Intereses, inhibiciones
	Hechos, supuestos
	¿Para dar?
	¿Reservada?
	¿Condiciona las expectativas?
	¿Va en buena dirección?
Concesiones	Valor
	¿Contrapartida?
Estrategia	Hacerla sencilla
	Hacerla flexible
Tareas	Del dirigente
	Del sintetizador
	Del observador

- Haga patentes sus objetivos en la negociación.

Intereses propios

G 1
2

P 3
4

T 5
6

Identificar los intereses del oponente

G 1
2

P 3
4

T 5
6

- ¿Cuáles son los factores-puente que pueden posibilitar un acuerdo?
- ¿Qué tenemos o tendremos que dar para facilitar el acuerdo?
- ¿Qué posiciones de repliegue tenemos para el caso de que surjan dificultades?
- ¿En qué orden pensamos presentar nuestras propuestas?

Capítulo 4

LA DISCUSIÓN

4.1 **Introducción**

Las personas negocian porque tienen, o creen tener, un conflicto de derechos o intereses. Al inicio de las negociaciones, es decir, cuando las partes se reúnen por primera vez para negociar los temas en litigio, es cuando más conscientes son de la existencia del conflicto. También en este momento es cuando las partes tienen una mayor desconfianza mutua. Por todo ello, la negociación suele estar más tensa en esta fase.

Algunas negociaciones no pasan de la sesión de apertura, rompiéndose porque las tensiones entre las partes se ven agudizadas por su comportamiento. Las dos partes no tienden a un acercamiento, sino a alejarse aún más, dando lugar muchas veces a la ruptura de las negociaciones. Las consecuencias: una huelga, un cierre patronal o la pérdida de un pedido. Los negociadores habrían evitado estos costes, consecuencia directa de la ruptura, si hubieran adoptado un comportamiento más positivo. Conviene tener en cuenta que algunas huelgas son provocadas por las mismas empresas dentro de una estrategia deliberada que persigue un objetivo posterior. Hace algunos meses, cuando intentábamos preparar una reunión con uno de nuestros clientes, se nos informó que la fecha elegida no era apropiada. La razón dada era que «la empresa estaba preparando una huelga para aquella misma semana».

4.2 **Un comportamiento natural**

Las personas que tienen diferentes intereses discuten. Es natural. Incluso los santos se comportan apasionadamente cuando alguien amenaza unos intereses que les son caros (recordemos a Cristo cuando expulsó a los mercaderes del Templo). Hay razón, pues, para desconfiar de los que no quieren discutir: evidentemente, tienen poca memoria o no ven amenazado nada de lo que aprecian.

Algunas personas afirman que no les gusta discutir pero que admiten el intercambio de opiniones o el debate. Bien. Poco importa que lo llamemos de una forma u otra. Nosotros hemos decidido llamar *discusión* a esta etapa. En las negociaciones comerciales suele hablarse de *conversación*. Las palabras apertura, presentación, intercambio, etc., no son más que formas alternativas de denominar a esta fase. Nosotros creemos, sin embargo, que la palabra *discusión* es la más apropiada, porque indica que ambos lados participan en ella. Aunque la palabra parece sugerir un conflicto emocional, también puede significar una presentación racional de las razones para hacer o no hacer una cosa.

Cada una de las partes da las razones por las que cree necesaria una cosa, o trata de demostrar razonando que algo es cierto. Las partes discuten estas conclusiones y tratan de persuadirse mutuamente razonando.

Claro que una discusión puede ser un enfrentamiento vejatorio, una disputa, un altercado. Este es, después de todo, el significado atribuido normalmente a la palabra. Si nos dijeran que López ha tenido una discusión con Martínez, nunca nos imaginaríamos a López razonando filosóficamente con Martínez. Pensaríamos más bien en un enfrentamiento violento entre ambos. Esto es lo bueno de la palabra discutir. Puede significar dos cosas diferentes, una razonable y constructiva y otra irrazonable y destructiva.

Y éste es el punto que queremos subrayar acerca de esta fase del proceso de negociación. El desarrollo de la fase de discusión ha de afectar a la marcha y al resultado de las negociaciones. La discusión, por otro lado, no queda limitada a los primeros contactos entre los negociadores, ya que la fase de discusión puede volver a aparecer una y otra vez durante la negociación. Estudiar la discusión, hacer que ésta opere en la dirección de nuestros objetivos y no contra ellos, contribuirá a mejorar nuestra capacidad como negociadores.

La etapa de la discusión no es un obstáculo, sino una oportunidad. Puede proporcionarnos acceso a todo tipo de información sobre los objetivos, compromisos e intenciones de nuestro opositor a través de una fuente inapreciable: él mismo. La discusión nos permite explorar los temas que nos separan de nuestro opositor, sus actitudes, intereses e inhibiciones. Y nos ofrece una buena oportunidad de contrastar las hipótesis que sobre él hicimos durante la preparación. Si nosotros conocemos una serie de cosas sobre su postura que él no sabe que conocemos, podemos poner también a prueba su franqueza o, en último extremo, su integridad.

La discusión puede revelarnos, si utilizamos bien el tiempo, las inhibiciones de nuestro opositor. También puede revelar las nuestras. La discusión puede mostrar las ventajas de negociar un acuerdo; puede también mostrar que no es posible o deseable tal acuerdo. Es curioso el número de negociadores que se olvidan del acuerdo y actúan como si el desacuerdo fuera inevitable, aunque cuando se les pregunta por qué actúan así insisten con toda seriedad en que lo que pretendían con su comportamiento era llegar al primero, al acuerdo.

4.3 **Mejorar de actitud**

Una de las medidas más sencillas y positivas que podemos tomar para mejorar nuestra capacidad como negociadores es eliminar de nuestro comportamiento el hábito de interrumpir al interlocutor. La persona que interrumpe a otra le está diciendo realmente que «cierre la boca». Naturalmente, la persona que recibe este mensaje se siente ofendida y antes de mucho tiempo la discusión se transforma en un campeonato de gritos. Algunos negociadores gritan (y juran) por sistema. Cada parte falta al respeto que debe a la otra.

Cuando preguntamos a los directores las razones por las que tratan de esta forma a sus opositores, responden así: «Es el único lenguaje que entienden.» ¿No será que es el único lenguaje que se les ha enseñado?

El equivalente comercial de este comportamiento abusivo es el negociador que ignora los intereses de su oponente, insiste e insiste en los suyos propios, interrumpe siempre que le parece que el estúpido con el que está hablando ha charlado ya bastante, corta sus objeciones, le niega la credibilidad, actúa con arrogancia y actúa en general, como si estuviera haciendo un inmenso favor a su interlocutor por el solo hecho de dignarse a hablar con él. (Muchos vendedores que pensarían que acabamos de describir al típico comprador se sorprenderían si supieran cuántos compradores creen que hemos descrito al típico vendedor.)

La discusión destructiva es una experiencia demasiado frecuente en la fase de apertura de la negociación y, a veces, igualmente frecuente también en otras fases. Es común en las relaciones laborales, pero también en negociaciones comerciales de revisión de contratos, conflictos de responsabilidad y en las luchas interdepartamentales por el tema de los recursos.

Cuando una persona está muy apegada a algo, enfadada, desilusionada, ansiosa, insegura o simplemente harta de algo, es fácil que cargue contra su opositor como un elefante salvaje o, lo que es igualmente destructivo, que «se limite» a herirle con golpes estudiados o incisivos.

Apuntarse tantos a costa del contrario es una tentación que pocos negociadores pueden resistir. Hay veces en que esperamos nuestra oportunidad para entrar en un ataque destructivo: «No voy a dejar sin respuesta

SABER ESCUCHAR

El siguiente ejemplo puede servir para ilustrar lo importante que es escuchar los argumentos de nuestro opositor. Se trata del caso de un sindicato que plantea un problema en una empresa mayorista del sector de alimentos envasados. «Estamos muy descontentos —indican los representantes sindicales— con que la empresa utilice vehículos alquilados durante las épocas punta y exigimos que deje de utilizarlos. Están ustedes manteniendo deliberadamente una plantilla insuficiente en los almacenes, y nuestros compañeros se vuelven locos tratando de resolver los problemas de expedición que surgen todas las semanas. La empresa ignora siempre nuestros sentimientos y el efecto que esta tensión produce en nuestra vida privada. La dirección nunca nos advierte con antelación suficiente de la necesidad de hacer o dejar de hacer horas extras. La programación es un completo desastre.»

Muchos negociadores oirían la petición sindical pero sin escuchar el problema.

Si la empresa aceptara negociar el alquiler de vehículos ajenos, estaría buscando un acuerdo perjudicial para los intereses de ambas partes. En este ejemplo, el problema real es la proporción y la distribución de las horas extra. Puesto que ninguna organización sindical que se precie de serlo pide horas extras de trabajo, ésta se ve obligada a hacer otras peticiones. Darse cuenta de ello permite al negociador ver las correcciones que debe introducir en la distribución de las horas extra para resolver el problema real.

lo que dijo usted hace diez minutos», o «Nos acusa de incompetencia, pero ¿qué me dice de lo que hizo el pasado mes de junio? ¿No dirá que se lució, eh?» Y así sucesivamente, golpeándose mutuamente.

El ciclo de ataque-defensa y el ciclo de las acusaciones son características comprobadas de una discusión destructiva. Si atacamos a una persona, ésta tenderá inevitablemente a defenderse, por muy trivial o impertinente que sea el ataque en comparación con los objetivos principales de la negociación. Si tratamos de repartir acusaciones incesantemente, nuestro interlocutor opondrá una resistencia apasionada o tratará de pasar las acusaciones a otros como hacen los niños en sus juegos.

Una vez iniciado el ciclo de ataque-defensa, las partes se ponen a la cola para meter baza. Cuanto más rápidos son los ataques y las réplicas (acompañadas habitualmente de interrupciones), más sube la tensión. Aparecen los ataques personales («¿Me está llamando mentiroso?»), que afectarán a las relaciones interpersonales, con un deterioro quizás irreparable.

La persona que se encuentra en un estado emocional lanza amenazas, aunque no necesariamente con la intención de llevarlas a la práctica, pero las amenazas provocan nuevas amenazas y ambos lados pueden terminar en un intercambio recíproco de sanciones al haberse puesto ellos mismos contra las cuerdas y ver que una retirada tendría un coste excesivo. Además, a la gente no le gusta verse amenazada, por lo que las amenazas tienden más a deteriorar que a mejorar una relación. Obligar al otro a inclinarse ante nosotros a base de amenazas puede suponer que aquél espere a que cambie la relación de fuerzas para vengarse.

Un delegado sindical de una fábrica de automóviles expresaba esta relación resultante entre trabajadores y empresa del siguiente modo: «Cuando necesitan coches, los exprimimos; cuando no los necesitan, son ellos los que nos exprimen.»

Cuando este comportamiento negativo es endémico, la causa es por lo general un largo período de discusiones con intercambios mutuos de sanciones miopes sobre cuestiones concretas en momentos en que ninguna de las partes creía tener suficiente fuerza, de forma que cada nuevo incidente ha reforzado la imagen estereotipada que cada parte tiene de la otra: «Cada uno siembra lo que recoge.»

Una discusión negativa refuerza las inhibiciones de nuestro opositor. Estas inhibiciones impiden una posición negociadora abierta y a veces impiden un acuerdo cuando el mismo era mutuamente ventajoso. Si cada parte está interesada únicamente en «ganar», ha de considerar toda concesión, por mínima que sea, como una «pérdida».

El resultado es que ambas partes no llegan sino a posiciones más distantes, lo cual es la antítesis de la negociación.

4.4 **El comportamiento constructivo**

El remedio, como siempre, es relativamente sencillo: escuchar más y hablar menos. Ahora bien, es más fácil decirlo que hacerlo. Y tampoco basta. Una forma positiva de escuchar ha de apoyarse en una forma positiva de hablar. Cuando hablamos tenemos que procurar utilizar eficazmente el tiempo del que disponemos. Una forma de conseguirlo es hacer preguntas positivas que animan a nuestro opositor a explicar y razonar su postura.

Nuestra preparación nos ha proporcionado un conocimiento de nuestro punto de vista sobre los problemas con los que nos enfrentamos, pero no conocemos todavía el punto de vista de nuestro opositor. Durante la preparación, hemos hecho algunas estimaciones y ahora, en la etapa de la discusión, tenemos la importante tarea de contrastar estas estimaciones. Y ello resulta más fácil, ya que éste tiene un gran interés en explicarnos sus opiniones. Debemos animarle a hacerlo.

Él puede no estar dispuesto a contárnoslo todo ni a descubrirnos todo lo referente a su posición límite. Tratará de convencernos de que ésta coincide con su posición de apertura. Esta es la razón por la que las partes derivan, en la fase inicial, hacia la discusión estéril: porque así evitan que puedan contrastarse demasiado a fondo sus primeras posiciones. De ahí que, cuanto más hagamos hablar al interlocutor de su posición, pidiéndole que la clarifique y explique, más señales nos dará, inadvertidamente, sobre la firmeza o provisionalidad de tal posición y sobre las líneas en que está dispuesto a moverse.

Al hacer unas preguntas positivas y francas debemos evitar la provocación en la forma; de otro modo, conseguiremos el efecto contrario al buscado. La pregunta «¿cómo justifica usted esa petición insultante que acaba de hacernos?», provocará una defensa apasionada (que no nos dice nada) pero no una respuesta que nos revele sus razones y la firmeza de sus peticiones. Sería mucho mejor dar esta forma a la pregunta: «¿Podría explicarnos en qué se basa para hacer esta petición?»

Una vez discutidas las bases de la petición, conviene analizar éstas detalladamente, haciendo preguntas sobre cada punto y explorando las implicaciones que cada punto de la petición tiene para nuestro opositor, cuidando de no meter en su cabeza ideas que no se le hubieran ocurrido hasta entonces. De esta forma podremos descubrir los «costes ocultos» de la petición o propuesta, haciendo que aparezcan explícitamente desde los primeros momentos. Una petición de cinco puntos, con veinte implicaciones, todas ellas con sus correspondientes costes, amplía las oportunidades de negociar (¿quién paga, o cómo compartir estos costes?) y constituye la base para una respuesta que, basándose en los costes descubiertos por ambas partes, rechace ciertos puntos concretos.

Antes de responder a una petición detallada de esta naturaleza, conviene resumir la posición de nuestro opositor pidiéndole que él mismo lo haga o haciéndolo por él, llamando su atención sobre cualquier implicación ya aceptada y sobre su actitud (no la nuestra) sobre ella.

Un resumen resulta siempre útil, especialmente cuando los problemas son muchos y complejos. También contribuye a evitar confusiones negativas. «Resumamos lo que ustedes piden, señores», he aquí un comportamiento positivo. Facilita la negociación, sobre todo, si ésta se pone difícil. Le da a nuestro opositor la sensación de que sus peticiones, por insultantes o ambiciosas que sean, han sido al menos escuchadas. Recordemos que nuestro opositor también asigna un orden de prioridad a sus peticiones. También él incluye entre ellas cosas que le gustaría conseguir y cosas que tiene que conseguir. También disfraza sus peticiones con otras que sacrificará para conseguir lo que quiere, pero que aceptará gustosamente si insistimos en concedérselas. También él declarará que lo que ha pedido en un principio es exactamente lo que quiere; no es nada probable que nos diga: «No, no quiero realmente todo lo que acabo de pedir, tengo una posición límite en mi cartera que me encantará revelarle si usted me lo pide.» Pero sí quiere que se le tome en serio. Quiere negociar y no ser rechazado de antemano con denuestos, sarcasmos y amenazas.

4.5 Una respuesta constructiva

Nuestra respuesta es el reflejo de lo que hemos hecho hacer a nuestro opositor. Se trata de darle información sobre nuestra posición. Si nosotros hemos obtenido información de nuestro opositor en la forma indicada más arriba, estamos en mejores condiciones para responder a la posición que nos ha declarado y para explicar la nuestra.

Nuestra respuesta puede consistir en una alternativa detallada a las peticiones y ofertas de la otra parte. Puede ser una enmienda detallada a las condiciones propuestas para llevar a cabo una operación o cerrar un contrato. Podemos clasificar los elementos de estas propuestas entre aquellos elementos con los que no podemos estar nunca de acuerdo y aquellos que no aceptamos por el momento pero que estamos dispuestos a negociar si se plantean de forma diferente. Podemos dar respuesta a todos sus puntos y a las implicaciones de los mismos y expresar las razones por las que no podemos aceptar sus sugerencias.

La forma de nuestra respuesta dependerá evidentemente del tipo de negociación en la que participemos. Las reclamaciones de nuestro opositor pasarán por nuestras contrarreclamaciones (en una negociación sobre responsabilidades); su reivindicación puede pasar por una oferta alternativa (negociación salarial); su precio de venta puede pasar por nuestro precio de compra (negociación de compraventa); su pliego de condiciones puede pasar por una revisión de la oferta básica (negociación sobre un contrato); su posición puede pasar por nuestro rechazo de esta posición en su forma actual (negociación sobre un cambio de categoría), etc.

Pero todas estas respuestas, cualquiera que sea su formulación, revelan las «posiciones más favorables» de ambas partes. Por muy larga que sea la fase de discusión, presentando cada parte sus argumentos en favor de su posición y en contra de la de la otra parte, no habrá avance alguno (alejamiento de estas posiciones) si las partes no indican su predisposición a negociar algo diferente de lo que ambas ofrecen.

Si nosotros no hemos explicado nuestra «posición más favorable», mal podrá la otra parte acercarse a ella. Nadie empieza un viaje sin saber cuál es el destino último del mismo y, aunque en una negociación no vamos a recorrer todo el camino que nos separa de la posición más favorable de la otra parte, tenemos que saber dónde se encuentra ésta en orden a conocer la distancia que le separa de nuestro límite.

Las empresas suelen encontrarse con este problema en las negociaciones de salarios. La empresa conoce de antemano su PMF y su límite. Pero a veces no tiene conocimiento oficial de la PMF de la parte sindical. La reivindicación puede expresarse así: «un aumento importante de los salarios». Este tipo de reivindicación se debe a que la parte sindical no sabe lo que la empresa está dispuesta a ofrecer y teme pedir poco.

La explicación de nuestra posición no nos impide oponernos a la posi-

LA PUERTA ABIERTA

El buen negociador evita que se le cierren las puertas. Un «no» rotundo supone que nos den con la puerta en las narices. Por otro lado, un diplomático, «Si nosotros pensáramos sobre ello, ¿qué ofrecerían ustedes?», deja la puerta abierta.

«Supongamos que aceptáramos esta propuesta, en ese caso, ¿ustedes qué...?» proyecta la negociación más allá del tema inmediato sin comprometernos.

«¿Hay alguna otra información que considere usted deberíamos conocer en este momento?»

«¿Por qué es eso tan importante para ustedes?»

El hacer preguntas desatranca las puertas, el escuchar las respuestas nos las abre.

ción de la otra parte. No se trata de ocultarla. Si nos limitamos a oponernos negativamente, estaremos retrasando el avance de la negociación.

Es perfectamente legítimo que expliquemos nuestras razones para oponernos total o parcialmente a lo que nuestro interlocutor presenta en la negociación. Es más, de no hacerlo, estaríamos debilitando nuestra propia posición negociadora. Al cuestionar la posición de nuestro opositor *en la forma como la presenta,* no estamos socavando las bases de la negociación, sino preparando el camino para el avance y utilizando el comportamiento constructivo ya descrito.

Al cuestionar la posición del otro y explicar la nuestra, estamos creando una plataforma desde la que dar los siguientes pasos. Establecemos mediante oposición la firmeza de nuestra posición.

Si hemos identificado las inhibiciones, compromisos e intenciones de nuestro opositor, nos habremos formado una opinión sobre la posibilidad de negociar los temas en litigio. Si existe esta posibilidad, continuaremos la negociación. En el próximo capítulo analizaremos la etapa siguiente.

4.6 **Lista de comprobación. La discusión**

- *Evitemos:*

  Interrumpir.
  Marcar goles.
  Atacar.
  Acusar.
  Ser «demasiado listos».

Hablar excesivamente.
Dominar a gritos.
Los sarcasmos.
Las amenazas.

- *Procuremos:*

Escuchar.
Pedir aclaraciones.
Resumir neutralmente los temas.
Exigir a la otra parte que justifique su postura punto por punto (buscar señales).
No comprometernos con sus posiciones y explicaciones.
Contrastar la firmeza de sus posiciones (averiguar sus prioridades).
Obtener y dar información (atención a las señales involuntarias).

Capítulo 5

LAS SEÑALES

5.1. Introducción

La negociación es movimiento. Las partes han de moverse acercándose entre sí. Una parte puede estar de acuerdo en moverse en un punto si la otra acepta moverse en otro punto. Pero para que la negociación acabe bien tiene que haber movimiento. El problema de los negociadores es cómo conseguir este movimiento: en esencia, cómo estar seguro de que un movimiento de una parte irá acompañado por otro movimiento de la parte contraria. Las principales fuerzas motivadoras son, en una negociación, la sanción y el incentivo; dicho de otra forma, la penalización del desacuerdo y el beneficio del acuerdo. Estas fuerzas pueden estar explícitas o implícitas en una negociación. Es necesario ahora llamar la atención sobre las consecuencias del acuerdo y del desacuerdo.

5.2 Condiciones para la negociación

La fuerza motriz que impulsa la negociación es el propio interés, sea éste empresarial, nacional o personal. Negociamos porque la otra parte tiene un incentivo que ofrecernos o una sanción que usar contra nosotros. A falta de alguno de estos elementos, las personas ni desearían, ni podrían negociar.

Las partes quizá empiecen expresando la inamovilidad absoluta de sus respectivas posiciones y la total negativa a hacerse concesiones. Sin embargo, su presencia en la mesa de negociaciones indica su voluntad de llegar a un trato. La visita del Presidente Sadat a Knesset fue una señal importante de voluntad negociadora, aunque esta señal iba acompañada de una reafirmación expresa de la «posición más favorable» de Egipto.

EL INTERMEDIARIO INFORMAL

Una empresa de ordenadores tenía que trasladar una parte de su administración a un nuevo edificio de oficinas. Dos jefes de departamento estaban en desacuerdo sobre el espacio que debían ocupar sus respectivos departamentos. El departamento de I & D dependía de las oficinas centrales estadounidenses, en tanto que el departamento de ventas dependía de Europa. No había un directivo en la filial que tuviera autoridad sobre ambos departamentos.

El conflicto fue duro, cada parte exponía argumentos de peso y no cedía terreno. La señal más imperceptible era retirada apenas expuesta.

Un consultor exterior de dirección que trabajaba con ambos departamentos en un proyecto independiente del tema se convirtió en el confidente de ambos directivos. Ambos trataban de atraerlo a su bando. El consultor pudo detectar las señales de una y otra parte y actuar, sin favorecer a una ni a otra, de intermediario informal hasta que se consiguió una fórmula que resolviera el tema.

La paz con Israel era más conveniente para los intereses de Egipto, aunque sus vecinos árabes aplicaron numerosas sanciones con objeto de disuadirles.

Lo primero que tenemos que hacer es comprender la naturaleza del problema y, a partir de ésta, la naturaleza de la solución. La negociación puede llegar a un punto muerto si una parte adopta la estrategia de quedarse en su posición de apertura hasta que *el otro* se manifieste dispuesto a moverse. Si ambas partes mantienen rígidamente esta estrategia, es imposible que haya movimiento alguno.

Pero, ¿por qué una de las partes, y menos aún las dos, han de adoptar esta estrategia? ¿No merece la pena revelar el deseo de negociar, es decir, de moverse de la posición declarada? Evidentemente que sí, aunque no todas las negociaciones empiezan por un reconocimiento por cada parte de que su posición es negociable. Puede surgir, incluso, una desconfianza o una tensión considerables entre las partes si una de ellas considera que la mejor defensa de sus intereses consiste en mantener su posición inicial y oponerse a cualquier cambio por mínimo que éste sea.

Hay negociadores que insistirán en que todo es negociable, en tanto que otros no admitirán como negociables más que unas cuestiones muy limitadas. Una empresa puede estar dispuesta a negociar un programa de

CONCILIADORES Y MEDIADORES

Hay veces en que una tercera persona tiene que encargarse de hacer las señales. La intervención de este tercero no altera el análisis de las ocho fases de la negociación.

El conciliador o mediador no hace más que ocuparse de las señales de las partes en conflicto. Cuando una o ambas partes son incapaces o temen señalar un cambio de sus PMF, pueden recurrir (o verse obligados a hacerlo por las normas de procedimiento establecidas) a la ayuda de un mediador que se ocupe de hacer las señales en su lugar.

Este es un procedimiento normal en las relaciones laborales y en la diplomacia internacional. El Gobierno del Reino Unido estableció el Servicio de Asesoramiento, Conciliación y Arbitraje (ACAS), reconociendo la necesidad que tiene la industria de organismos señalizadores independientes*. En Oriente Medio, Estados Unidos ha representado este papel en numerosos intentos para alcanzar la paz entre Israel y sus vecinos.

El mediador explora las posiciones expresadas por cada parte con el fin de determinar las concesiones que una está dispuesta a hacer a cambio de las concesiones de la otra, para después dirigir las señales adecuadas a las partes en conflicto. El mediador debe hacer que las partes confíen en que puedan avanzar en su negociación sin que se hundan sus posiciones respectivas.

* En España existe el IMAC (Instituto de Mediación, Arbitraje y Conciliación), dependiente del Ministerio de Trabajo, con funciones similares, aunque más formales. *(N. del T.)*

desarrollo profesional pero no a negociar el derecho de la dirección a hacer la selección final. El Gobierno de Israel está dispuesto a negociar la autonomía de los palestinos en algunos de los territorios ocupados, pero no a negociar una autonomía que comprometa la seguridad de Israel, tal como Israel la entiende.

Pero incluso cuando los puntos que se negocian pertenecen a la categoría de negociables, es lógico que una o ambas partes adopten una «línea dura» en la fase de discusión y den la impresión de no poder llegar a un compromiso intermedio.

¿Por qué? Quizá porque piensan que, si hacen concesiones, se les irá de las manos la negociación. Este no es un caso raro. Las concesiones suelen ser consideradas como un signo de debilidad, como un primer paso hacia la rendición. Cuando empiezan las concesiones, ya no hay forma de detenerlas; por ello, la mejor forma de evitarlo es no hacer ninguna concesión y esperar que la otra parte haga sus concesiones para saltar inmediatamente sobre ellas. Si decimos que «no hay trato» con la insistencia suficiente, la otra parte acabará por rendirse, etc. Es claro que si adoptamos esta estrategia de esperar las concesiones del otro como paso previo a su rendición, es probable, y más que probable, que acabemos en un «no hay trato».

LA DISPOSICIÓN A NEGOCIAR

Los negociadores sindicales que presentaban la típica lista anual de reivindicaciones afirmaban en apoyo de uno de los puntos: «Nuestra política es que los trabajadores consigan una reducción de la semana laboral de 40 a 35 horas.»

La afirmación «nuestra política es» es una señal de que la reducción de horas era un objetivo «G» que podía ser intercambiado (como lo fue, de hecho) en el curso de la negociación.

La clave real de este comportamiento negociador especial es la incapacidad de la otra parte para manejar las concesiones. La causa puede estar en una falta de experiencia: los negociadores novatos suelen ser o muy blandos o muy duros, es decir, o lo sueltan todo en seguida o no dan absolutamente nada. De esta forma, y en tanto no adquieran la experiencia necesaria, o consiguen unos acuerdos miserables o no consiguen acuerdo alguno.

5.3 **El comportamiento y las señales**

La forma de manejarse bien en la cuestión de las concesiones consiste en desarrollar la habilidad de hacer señales. Esta habilidad nos permitirá contrastar una posición aparentemente inamovible y distinguir si ésta se debe a la interpretación que la otra parte hace del equilibrio relativo de fuerzas o a su falta de confianza en sí misma. También puede deberse a falta de información. Es la situación que los vendedores conocen con el nombre de «las objeciones».

El vendedor sabe por experiencia que hay, principalmente, dos tipos de objeción: verdadera y falsa. Sabe también que se puede distinguir la categoría a la que pertenece con la pregunta: «Si pudiéramos resolver sus problemas, ¿estaría usted dispuesto a comprar?» Si la respuesta es sí, la objeción es verdadera. Si la respuesta es no, y se plantea otra objeción, hay que volver a empezar. Las objeciones reales tienen dos posibles tratamientos: dejarlas de lado para ocuparse de ellas más tarde o darles una respuesta inmediata. En el contexto de la negociación, la respuesta inmediata equivale a dar una información o una concesión (aunque la concesión deba recibir a cambio otra concesión que la compense).

La señal es un medio que utilizan los negociadores para indicar su *disposición* a negociar sobre algo. Es también algo más: revela una disposición que ha de ser correspondida por la otra parte.

Las ventajas de este comportamiento son claras. Puede servir para cortar una discusión «circular» e inútil. Unos signos recíprocos son un «salvoconducto» para el negociador, que puede avanzar nuevas propuestas sin temor a que este movimiento conciliador sea considerado como una rendición. Cada uno puede, a partir de este momento, hacer sus propuestas sin retroceder ni comenzar a deslizarse hacia la posición atrincherada del otro.

El empleo de señales tiene la ventaja adicional de no exigir el aprendizaje de un nuevo tipo de comportamiento, ya que la mayoría de nosotros las utilizamos en nuestra vida diaria. Cierto que solemos hacerlo inconscientemente, pero esto no tiene la menor importancia porque, una vez que caigamos en la cuenta de que lo hacemos *naturalmente,* en seguida aprenderemos a hacerlo *intencionadamente.*

5.4 **¿Qué es una señal?**

Una señal es un mensaje. Y, como todos los mensajes, ha de ser interpretado por el que lo recibe. El mensaje puede no llegar a su destinatario o, si llega, ser mal interpretado o, aun interpretado correctamente, no provocar la reacción prevista. Los signos son, pues, frágiles y, como frágiles que son, pueden tener una vida corta e improductiva.

Las afirmaciones hechas en la fase de discusión son de naturaleza *absoluta:* «No aceptaremos nunca lo que nos proponen», «no concederemos descuentos», «no podemos aceptar ese cambio», «ni hablar», «ni por todo el oro del mundo», etc. Lo que caracteriza a una afirmación absoluta es su falta de matización. Las posiciones de apertura suelen carecer de matices; los desacuerdos entre las partes en litigio, también. Esta es la razón por la que la fase de discusión puede acabar tan fácilmente en un punto muerto: la oposición no matizada a los puntos de vista de la otra parte.

Cuando utilizan un lenguaje absoluto carente de matización, los negociadores se expresan excitada y provocadoramente. La propuesta es «absurda», «inútil», «incompleta», «risible», «vergonzosa», «fuera del tiesto», etc., y las personas que la han presentado se hacen merecedores de calificativos igualmente extremados y absolutos, poniendo en cuestión a su familia, su inteligencia, su honradez, su patriotismo, su humanidad, etc.

Pero observemos la fase de discusión en una negociación. Escuchemos el lenguaje utilizado. En algún momento, oculta a veces en medio de largas frases, oiremos utilizar una matización. Es una señal.

Las señales son matizaciones aplicadas a una declaración de posición.

Detrás del «nunca aceptaremos lo que nos proponen», se añade: «en esa forma». Una observación inocente, pero vitalmente importante para el progreso de las negociaciones. El negociador está diciendo a su opositor que rectifique de alguna forma su propuesta y que, si lo hace, está dispuesto a crear la posibilidad de un acuerdo. Pero observemos que la señal no es un movimiento de la parte que lo envía, es una llamada a moverse a la otra parte. ¿Cuál es, entonces, la ventaja? La ventaja está en lo que la parte que recibe la señal hace con el mensaje recibido.

En un momento en que el negociador se enfrenta a una intransigencia total de la otra parte, recibe un signo de que la oposición total se limita a la «forma actual» de la propuesta. Y ello implica que la misma propuesta, pero bajo otra forma, *todavía no revelada,* no encontraría una oposición *total;* con otras palabras, sería negociable.

En este momento sería un burdo error tratar de adivinar los cambios que hay que introducir en la propuesta para que la parte contraria esté dispuesta a modificar su posición. Sería como decir: «No aceptan ustedes nuestra primera propuesta. Bien, ¿por qué no estudian todas las alternativas que llevo en mi cartera, incluyendo las concesiones que puedo darles, y, cuando encuentren una propuesta aceptable, me dicen que pase, y firmamos?» Por desgracia, este tipo de propuesta es muy frecuente. Una de las excusas que suelen darse para este tipo de respuesta es que es preferible a una ruptura de las negociaciones. De lo que no cabe duda es de que es el mejor premio a la intransigencia. La parte contraria aprende (y rápido) a decir «no» y a esperar tranquilamente en tanto le ofrecemos todo lo que tenemos sin otra cosa a cambio que una posible aceptación de la oferta que mejor le convenga.

Este no debe ser el significado del mensaje ni nuestra respuesta a la señal. Volvamos a leer la señal: «en su forma *actual*». Son ellos los que han enviado esta señal y ellos son los que mejor pueden decirnos lo que ésta significa. ¿Por qué no pedirles más detalles? Pero hagámoslo señalando a nuestra vez que estamos dispuestos a alterar nuestra posición inicial si el movimiento que hacen lo merece. De nada valdría decir: «Nos alegramos de que hayan visto por fin claro y retiren su oposición total a nuestras propuestas, perfectamente razonables.» En este caso, lo probable es que la otra parte se repliegue a la fase de discusión y se abstenga de hacer nuevas señales.

Una respuesta bastante más constructiva sería la siguiente: «Si quisieran explicarnos qué tipo de enmiendas les moverían a considerar la aceptación de nuestras propuestas, estaríamos dispuestos ciertamente a estudiar una respuesta positiva a lo que ustedes nos digan.» Al decir algo así estamos abriendo una puerta a la fase de discusión. No les pedimos que se rindan, como tampoco nos comprometemos a aceptar lo que nos propongan. En lugar de discutir desde unas posiciones atrincheradas, habremos creado la posibilidad de un acercamiento.

EL LENGUAJE OCULTO DE LAS SEÑALES

«Nos resultaría extraordinariamente difícil cumplir ese plazo.»	—No imposible.
«Nuestras líneas de producción no están preparadas para este tipo de trabajo.»	—Pero podemos cambiarlas.
«No estoy autorizado para negociar este precio.»	—Hable con el jefe.
«No es nuestra práctica normal fraccionar los pedidos.»	—Pues ¿qué es normal?
«Nuestra empresa nunca negocia sus precios.»	—Negociamos lo que damos por esos precios.
«Podemos discutir ese punto.»	—Es negociable.
«No estamos dispuestos en este momento a discutir ese punto.»	—Podemos negociarlo mañana.
«No podemos fabricar esa cantidad en ese plazo.»	—Estamos dispuestos a negociar precios, plazos de entrega, calidades y cantidades.
«No acostumbramos a conceder descuentos y, si lo hiciéramos, nunca del 10 %.»	—Le daremos un 2 %.
«Nuestro precio para esa cantidad es X.»	—Para otras cantidades, otros precios.
«Estas son nuestras condiciones normales de contratación.»	—Pero son negociables.
«Este es un precio enormemente razonable.»	—Es nuestra «posición más favorable».

5.5 **El envío de señales**

El envío de señales exige que los participantes, además de hablar, escuchen. De hecho, la mayoría de los negociadores pasan por alto las señales —prolongando así la discusión— porque *hablan* más que *escuchan*. Si no escuchamos lo que nos dice nuestro opositor y *cómo* lo dice, pasaremos por alto las señales. Si nos dejamos llevar por un comportamiento dirigido a marcar puntos y por los ciclos de ataque-defensa y acusaciones, ignoraremos incluso las señales más evidentes, encerrándonos en un rincón del que nada nos hará salir. Aunque creamos que toda la culpa es del otro, lo que puede ser cierto, también nosotros tenemos la responsabilidad de hacer señales.

El ignorar deliberadamente una señal es muy distinto de pasarla por alto por pura negligencia. Nosotros hablamos de «cerrar los ojos» a la señal, en el primer caso. Nelson «cerró los ojos» a la señal que su comandante le hacía para que abandonase la lucha, es decir, para que se retirase de un enfrentamiento especialmente sangriento. Nelson replicó a su oficial: «¿Abandonar? Por nada del mundo. Usted sabe que tengo un solo ojo. Tengo derecho algunas veces a estar ciego. Pues bien, no veo la señal», al tiempo que colocaba su telescopio en su ojo ciego. Pero cerrar los ojos a la señal que nos hace nuestro jefe para ceder en un punto determinado, por considerarla innecesaria, es muy diferente a cerrar los ojos a una señal de nuestro opositor.

Cerrar los ojos sólo sirve para prolongar la discusión. Se trata de un mecanismo de prórroga que rara vez da resultado. Supone un riesgo considerable de ruptura porque provoca una reacción negativa en nuestro opositor. Algunas veces resulta, pero asegurémonos de que no estamos simplemente racionalizando nuestro despiste ante las señales de nuestro opositor.

Llegados a un punto muerto, y estando dispuestos a negociar una solución, podemos interrumpir la discusión haciendo una señal o respondiendo positivamente a las señales que nos envía nuestro opositor. Basta con que introduzcamos ciertas matizaciones en nuestras afirmaciones, por ejemplo: *«Normalmente* no hacemos descuentos», «no podemos aceptar *todos* estos cambios», «sus plazos de entrega son *excesivamente* rígidos». Este tipo de afirmaciones relativas deben provocar respuestas como: «¿En qué circunstancias estarían dispuestos a conceder descuentos?», «¿qué cambios aceptarían?», «¿qué flexibilidad exigen a nuestro plazos de entrega?», etc. Hay muy buenas posibilidades de que nos lo digan.

Hemos pasado de la discusión a las propuestas o a la posibilidad de unas propuestas. La otra parte puede replicar a nuestras respuestas a sus señales con una pregunta sobre nuestras intenciones. Por ejemplo: «¿Quiere usted decir que está dispuesto a considerar nuestras nuevas propuestas o nuestras enmiendas como base de negociación?» Si nos interesa negociar, debemos contestar que sí, aunque matizando esta respuesta con algo así: «Siempre estamos dispuestos a estudiar unas sugerencias razonables que mejoren la aceptabilidad de nuestras propuestas.»

El envío de señales no implica forzosamente un acuerdo, ni elimina el problema conflictivo. Sólo posibilita la negociación, creando así la posibilidad de un acuerdo. No conocemos otra forma de salir de la fase de discusión de una negociación que las señales.

Un negociador hábil agradece, siempre que le sea posible, un comportamiento conciliador. Haciendo preguntas puede dar a la otra parte la oportunidad de explicar las matizaciones introducidas en su oposición al tema de discusión. «¿Qué quiere usted decir?», es una pregunta apropiada tras recibir una señal. «Con esto queremos decir lo siguiente ...», puede ser una forma de reforzar la señal enviada a la otra parte. También podemos pedir una propuesta a la otra parte.

Para que un comportamiento conciliador sea productivo, debe ser recíproco. Los negociadores deben exigir garantías antes de moverse en un tema; es la única forma de moverse sin rendirse. El empleo de concesiones exige confianza y la forma de reforzar esta confianza es asegurarse de que todo movimiento nuestro venga seguido de otro movimiento de la otra parte. Hablaremos de esto con mayor detalle en los capítulos que tratan de la propuesta, el paquete y el intercambio, pero podemos señalar un par de puntos útiles sobre los movimientos recíprocos en la fase de las señales.

5.6 **La señal ignorada**

¿Qué ocurre si enviamos una señal y nuestro opositor no responde a ella? Que continúa la discusión. Pero también podemos hacer algo.

Si nuestra señal es ignorada (o inadvertida), podemos repetirla, con las mismas palabras o con otras. En lugar de: «No podemos aceptar su propuesta en su forma *actual»,* puede decirse: «No pueden esperar ustedes que aceptemos su propuesta en la forma *actual»*. Si es que nuestros opositores han venido a negociar, uno u otro de ellos captará antes o después la palabra *actual.* Si no lo hacen, podemos hacer más clara nuestra señal, siendo un poco más concretos. Podemos señalarles los puntos concretos de su propuesta que son más difíciles de aceptar. Haciéndolo así, estaremos centrándonos en los puntos restrictivos (si queremos ampliar la aplicabilidad) de sus propuestas. Si es que, como decíamos, la otra parte ha venido a negociar, acabará por captar nuestras señales. Una forma de demostrarlo puede consistir en pedirnos que justifiquemos nuestros puntos de vista.

Pero si ninguna de nuestras señales llega a su destino, tendremos que elegir entre agotar la discusión o retirarnos. Si decidimos seguir, podemos intentar utilizar una última forma de señal: una señal abierta y condicional. Ésta puede ser todo lo general o todo lo detallada que nos parezca, pero debe ser una señal y *no* una concesión. Por ejemplo:

> «Supongamos por un momento que estuviéramos dispuestos a aceptar la base de su propuesta. ¿Qué garantías, descuentos, plazos de entrega, etc., ofrecerían ustedes a cambio?»

O bien:

> «Han repetido ustedes varias veces que nuestra propuesta es inaceptable. ¿Qué enmiendas introducirían en ella para que les resultara más fácil de aceptar?»

O bien:

> «Sin prejuzgar el resultado final ni los intereses básicos de cada parte, ¿estarían ustedes dispuestos a considerar nuestros puntos si consideramos nosotros los que ustedes plantean?»

Las respuestas a estas preguntas, u otras apropiadas para cada caso, tendrían un doble significado. Nos indicarían si la otra parte está dispuesta a negociar y, si es así, sobre qué está dispuesta a negociar.

Una vez lanzada una señal, repetida ésta en diferentes formas, concretada y presentada condicionalmente, y una vez que hayamos respondido positivamente a las señales de la otra parte, estamos mejor preparados para salir de la discusión o para decidir si, dadas las circunstancias, es posible negociar.

El punto muerto sólo es inevitable cuando hay una posición de rechazo, una predisposición negativa o una incapacidad para negociar, prefiriéndose, por lo tanto, otra solución al conflicto, como el empleo de sanciones o la ruptura de relaciones. Las circunstancias del momento pueden impedir el éxito de la negociación. Puede que haya que dejar pasar cierto tiempo para que las circunstancias sean propicias, bien porque cambien las personas de cada equipo, bien porque se modifiquen ciertas actitudes rígidas. En una negociación el tiempo suele ser un factor decisivo; si el tiempo no fuera importante, no tendría sentido negociar: pudiendo llegar a un acuerdo en cualquier momento, poca importancia tendría llegar a un acuerdo hoy.

5.7 Lista de comprobación. El envío de señales

- ¿Hay alguna señal de *movimiento* en la discusión?
- ¿Qué señales hemos hecho para indicar nuestra propia disposición a movernos?

- Si nuestras señales han sido ignoradas, ¿cómo podemos repetirlas?
- ¿Cuál es la razón de esta «sordera»? ¿Falta de confianza o exceso de ella?
- Pongamos a prueba su «sordera» mediante una presentación concreta de nuestra señal, unida a una llamada concreta de reciprocidad.
- Si seguimos sin obtener respuesta, podemos:

  a) Romper la negociación.
  b) Exigir a la otra parte que pida autorización para revisar su posición.
  c) Estudiar la revisión de la nuestra.

- Evitemos hacer concesiones con la «esperanza» de una respuesta recíproca: esto equivaldría a premiar la intransigencia.
- Escuchemos las afirmaciones relativas y matizadas que la otra parte haga de su posición, o las referencias a sus inhibiciones.
- Pidámosle que las desarrolle. (Su mejor movimiento es conseguir de nosotros un compromiso de respuesta.)
- Respondamos positivamente, por ejemplo: «Siempre estamos dispuestos a estudiar unas sugerencias razonables que mejoren la aceptabilidad de nuestras propuestas.»
- Máximas a recordar:

  —*La ceguera prolonga la discusión.*
  —*Escuchar más, hablar menos.*
  —*Responder en reciprocidad.*
  —*Premiar las señales, no la intransigencia.*

Capítulo 6

LAS PROPUESTAS

6.1 **Introducción**

Antes o después, los negociadores tienen que discutir sus propuestas. Son las propuestas las que se negocian, no las discusiones, aunque las propuestas puedan ser objeto de discusión. La salida de una discusión es una señal que conduce a una propuesta. En el contexto de una negociación, una propuesta es una oferta o una petición diferente de la posición inicial. Hay casos, evidentemente, en que la propuesta o petición ha de ser presentada antes de la negociación. Pero, en estos casos hay que hablar de una oferta, un presupuesto, una puja, una reclamación, pero no de una propuesta. Así evitaremos confundir estos términos con las propuestas que estudiamos en este capítulo. Claro que también es perfectamente posible que una negociación empiece sin una oferta o una petición previa.

6.2 **El orden del día**

Una negociación no es una tómbola; normalmente hay un problema, o conjunto de problemas, identificado, que negociar. Los negociadores no entran en la sala y preguntan: «¿Qué es lo que vamos a negociar hoy?» Normalmente saben para qué se reúnen y tienen cierta idea de la agenda de trabajo, es decir, del orden a seguir en la negociación. Esto no quiere decir que no pueda alterarse tal orden, pues éste tiene algunas veces una gran importancia.

La negociación del orden del día puede ser un proceso largo y agotador. Tras la guerra de Las Malvinas, Gran Bretaña y Argentina tenían diferentes opiniones respecto a lo que era negociable. Argentina insiste en que, tarde o temprano, la soberanía de Las Malvinas tendrá que negociarse; Gran Bretaña insiste en que sólo son negociables el comercio y el tráfico aéreo. Hasta que se encuentre una fórmula de expresión que permita salvar las apariencias a ambas partes, las negociaciones se centrarán en el orden del día más que en la sustancia de sus diferencias.

A veces, una de las partes declara que hay unas condiciones previas que cumplir para poder negociar un determinado tema contencioso. Estas condiciones previas pretenden debilitar la capacidad negociadora de la otra parte. Por ejemplo, los trabajadores suelen exigir la readmisión de un trabajador despedido antes de negociar con la empresa los temas importantes que fueron el origen del despido. Si la empresa acepta esta condición, está renunciando a su principal baza para conseguir de los trabajadores unas concesiones sobre los temas de fondo. La empresa debe poder decir a los trabajadores: «Si hacen ustedes concesiones en estos temas, readmitiremos al trabajador; si no las hacen, nosotros tampoco lo haremos.»

Las condiciones previas a la negociación pueden impedir que ésta tenga lugar hasta tanto no sean retiradas o modificadas. La eliminación de estas condiciones dependerá de la relación de fuerzas existente entre las partes, es decir, de que la parte más perjudicada por la ausencia de negociación sea precisamente la que plantea las condiciones previas.

6.3 **La proposición de soluciones**

Las negociaciones siempre empiezan con un tema, pero no necesariamente con dos propuestas alternativas. El tema puede ser una petición de elevación «considerable» de salarios o la solicitud de renovación de un contrato. Pero no es necesario que se sepa desde un principio lo que significa concretamente «considerable» ni cuáles son las condiciones del nuevo contrato. Llegará, sin embargo, un momento en que haya que saberlo.

En las negociaciones sobre reclamaciones es absolutamente necesario llegar a concretar. Las partes que reclaman algo tienen la tendencia a insistir en lo que les ha herido, bien se trate de una medida disciplinaria, de un disgusto, o de un fallo observado en el comportamiento de la otra parte. El resultado, evidentemente, es la discusión.

El arte de discutir es conseguir que esta fase facilite nuestro objetivo. El objetivo de la persona que se siente perjudicada no es dar mil vueltas a su problema. El objetivo es buscarle una solución. Por lo tanto, *no nos limitemos a expresar una reclamación, propongamos una solución.* Esta solución es nuestra propuesta. Y es muy probable que el centro de la negociación pase de la discusión circular (quién es el culpable, etc.) a la solución propuesta.

Todos nos hemos quejado alguna vez de un producto o un servicio que ha resultado tener algún tipo de fallo. Suele ser corriente en restaurantes, hoteles, líneas aéreas y comercios. Si queremos convencernos de cómo la propuesta es mucho más eficaz que la discusión, la próxima vez que tengamos una queja suficientemente seria como para darla a conocer, pensemos, antes de hacernos oír, lo que queremos realistamente conseguir. Digamos lo que queremos. La reacción del destinatario de la queja será sorprendente. Puede que no consigamos exactamente lo que pedimos pero, en nueve de cada diez casos, conseguiremos algo más que una explicación. Al darles la oportunidad, con una petición razonable, de rectificar lo que han hecho mal, les estamos ofreciendo la oportunidad de conservar su relación con nosotros. La mayoría de la gente reacciona positivamente a este tipo de petición. Les resuelve el enigma de no saber lo que tendrían que hacer con nuestra reclamación.

La propuesta supera a la discusión. Consigue que el tema comience a moverse. Alivia la tensión producida por la ignorancia de lo que la otra parte quiere. Una vez que escuchemos su propuesta inicial, podemos dedicarnos a modificarla o a estudiarla, según el caso.

Las propuestas iniciales están, a veces, sobre la mesa de negociaciones antes de empezar las reuniones. Los trabajadores suelen enviar sus peticiones por escrito y con detalle a la empresa antes de las negociaciones anuales. Naturalmente, se supone que estas propuestas son su posición más favorable (PMF). Algunas empresas disponen de antemano de un modelo minucioso de contrato con un proveedor y las negociaciones se centran en las condiciones concretas del servicio. Igualmente frecuente es que los trabajadores o el proveedor no avancen los detalles de su petición o contrato, en cuyo caso la negociación se inicia con la discusión de estos detalles. Cada una de las partes tratará con toda su habilidad de obtener de la otra parte el máximo margen de negociación posible.

6.4 **El lenguaje de la propuesta**

En los primeros contactos, el lenguaje de la propuesta debe ser exploratorio y no comprometedor. Las propuestas son más específicas particularmente en la fase de intercambio. Pero a la hora de formular las que surgen de la fase de discusión se necesitan unos avances cautelosos, no unas ofertas arriesgadas e inequívocas.

Las propuestas iniciales surgen de la fase de discusión y constituyen la respuesta estudiada de un negociador a lo que ha aprendido de su opositor a través de la discusión y de las señales de éste. Pero estas propuestas no pueden ser concretas porque no suele ser posible pasar automáticamente de la presentación de unas diferencias a la fase de intercambio, con toda la dificultad que ésta conlleva. Si una parte decidiera «cortar el rollo» y «poner las cartas sobre la mesa» puede que el resultado fuera el opuesto del buscado: una negociación más difícil, no un acuerdo rápido.

Las propuestas iniciales deben ser exploratorias si es que queremos desarrollarlas con ciertas probabilidades de aceptación. Si forzamos el ritmo, podemos espantar a la otra parte. Si un vendedor de coches de ocasión se apresurara a pedir un precio mucho menor que el marcado en el escaparate, haría que el posible cliente se preguntara: ¿Por qué tiene este hombre prisa en cerrar el trato? ¿Tiene algo el coche que yo no sé? Y, evidentemente, tendría razón al pensar así.

SEÑALES MAL INTERPRETADAS

Es bien conocido el caso del empresario que decide ahorrarse los primeros contactos y presenta su oferta máxima inmediatamente, para encontrarse con que los trabajadores dicen que «no» y piden más. ¿Por qué este fracaso táctico? Porque los trabajadores suponen que, cuando el patrón abre con un ofrecimiento tan alto, puede dar más y revisan sus expectativas, alejando su PMF de la del empresario. ¿Por qué iban a actuar de otra forma? Los trabajadores venían a negociar y el patrono pretende cerrar el trato con una última oferta. Los trabajadores malinterpretan el movimiento del empresario y éste malinterpreta la disposición de los trabajadores a llegar a un acuerdo sin discusión.

«¿Quiere usted decir —puede preguntar un negociador a su interlocutor—, que *si* nosotros estudiamos una flexibilización de nuestra postura, usted dejaría de insistir en la cláusula de penalización?» A lo que la otra parte puede (prudente y cautelosamente) responder: «No, no renunciaríamos a la cláusula de penalización pero, *si* el cambio dado por ustedes fuera importante, estaríamos dispuestos a *considerar ciertas* modificaciones de esta cláusula.» Ni una parte ni la otra se comprometen y no deben hacerlo hasta conocer los detalles de la «flexibilización» y de la «modificación» propuestas.

Las proposiciones exploratorias tranquilizan a ambas partes. Facilitan la circunscripción del área de la que puede surgir un acuerdo. Estas propuestas indican lo que podría ser una oferta de una parte si la otra ofrece unas concesiones igualmente interesantes.

6.5 **Las propuestas condicionales**

En una negociación lo que decimos es que «la posición con la que empezamos no es la posición con la que esperamos terminar». No es lo mismo que decir que «cualquier otra posición diferente a la nuestra inicial sea aceptable». La negociación supone que existen posibilidades de abandonar una posición inicial, pero que también hay una fuerte preferencia por esta posición inicial. Después de todo, siempre preferimos nuestra PMF a nuestra posición límite.

Una propuesta es, pues, en este contexto, un movimiento hacia la zona de intercambio, si no de entrada en ella. El intercambio de respuestas a unas propuestas exploratorias derivadas de la discusión ofrece nueva información sobre el nivel de firmeza de cada parte en su postura. Ambas partes «se observan» mutuamente, tratando de valorar sus posibilidades.

Adquirir el hábito de hacer propuestas condicionales es la mejor preparación para negociar. Si aprendemos a distanciarnos «condicionalmente» de la primera propuesta que hacemos en una negociación, no tendremos problemas en la fase de intercambio en la que necesitaremos todo el margen de maniobra disponible. Pero si lanzamos descuidadamente unas concesiones en la fase de las propuestas —en un intento de «comprar paz» o «conseguir la venta»—, lo único que lograremos es ponernos las cosas mucho más difíciles en las fases posteriores.

Las propuestas son condicionales: «Si ustedes están dispuestos a hacer esto y esto, nosotros estamos dispuestos a estudiar la posibilidad de hacer esto y lo otro.» Obsérvese la forma concreta en que mencionamos primero nuestras condiciones y la forma exploratoria en que presentamos nuestra propuesta.

DE FRASES COMO ESTAS...*

«¿Preferiría usted que subiéramos nuestra oferta?»
«¿Aceptaría usted si pagáramos 100 en lugar de 85?»
«Hemos considerado seriamente sus peticiones y decidido conceder los siguientes aumentos.»
«De acuerdo. Les daremos un 3 % más.»
«Aquí tienen ustedes nuestra oferta revisada. ¿La consideran aceptable?»
«Me ha obligado bien. A los de arriba no les va a gustar nada, pero si usted acepta, le daré además un día libre.»
«Dejémoslo en 200. ¿De acuerdo?»

...SALEN LOS PEORES TRATOS

* *Todas ellas tomadas de negociaciones reales.*

Una técnica útil a la hora de presentar una propuesta consiste en señalar nuestra «posición más favorable» e, inmediatamente, modificarla —condicionalmente, desde luego—. Esta técnica puede crear la ilusión de una concesión, cuando en realidad no hay tal. Una empresa que pretenda imponer una subida del 10 % podría hacer la propuesta de la forma siguiente: «En circunstancias normales, señores, tendríamos que aumentar nuestros precios un 20 %, pasando de 100 a 120 pesetas por unidad. Pero, dadas nuestras excelentes relaciones y siempre que sigan ustedes comprándonos, estamos dispuestos a dejarlo en 110 pesetas.»

6.6 **¿Firmeza o flexibilidad?**

No es fácil decidir cuál debe ser exactamente la posición de apertura. Se trata de una decisión muy subjetiva del negociador, aunque las siguientes observaciones pueden resultar útiles.

En primer lugar hay que estudiar el problema. Tenemos que elegir entre firmeza o flexibilidad o, mejor, una combinación de una y otra. Cuanto más próximos nos mantengamos a nuestra posición inicial, más firme será nuestro compromiso; cuanto más estemos dispuestos a alejarnos de ella, más flexible será nuestro compromiso.

La firmeza puede proporcionarnos una plataforma de negociación que nos permita ser flexibles posteriormente. Cuanto más alta sea esta plataforma, mayor esfuerzo tendrá que hacer la otra parte para llevarnos a un compromiso. El riesgo es claro. Cuanto más firmes seamos, menores serán las posibilidades de llegar a algún tipo de acuerdo. La firmeza puede ser considerada como un signo de que no queremos negociar, y nuestro opositor puede recurrir a la opción, costosa y desagradable, de las sanciones para ablandar nuestra resolución y forzarnos a posiciones más flexibles. También puede decidir simplemente no hacer negocios con nosotros. A niveles internacionales puede decidirse por la fuerza como única alternativa a la firmeza no negociable de nuestra parte.

Por otro lado, la flexibilidad puede quitarnos todas las bazas que llevamos a la negociación. Cuanto mayor sea la flexibilidad que demostramos en cada uno de los temas, más segura estará la otra parte de que no valoramos mucho nuestra posición. Y como una persona no lucha por lo que no valora, nuestro opositor ofrecerá una mayor firmeza como respuesta a nuestra ilimitada flexibilidad. El resultado puede ser exactamente el mismo que el producido por nuestro exceso de firmeza, excepto que, en este caso, somos nosotros quienes malinterpretamos las intenciones del otro.

La flexibilidad tiene dos ventajas. Permite al negociador revisar sus expectativas, tanto a la baja como al alza. Si no hemos sido excesivamente rígidos en un tema concreto, podremos revisar nuestra posición a la vista de la flexibilidad de nuestro opositor. En el momento de la apertura de una negociación es preferible adoptar una posición de firmeza sobre un tema general y no sobre un tema concreto; esto nos permitirá redefinir lo que queremos decir a medida que van revelándose las posiciones, la firmeza y las intenciones de la otra parte.

Así, por ejemplo, una petición inicial, firmemente establecida, de «un incremento salarial importante» constituye una posición negociadora mejor que una firme petición (inicial) de «45.000 pesetas mensuales». ¿Por qué? Porque no hay pérdida alguna de credibilidad al traducir «importante» por «45.000 pesetas mensuales» o cualquier otra cifra inferior a ésta. Los representantes sindicales pueden así declarar haber obtenido una «victoria», un «éxito» a lo que hayan conseguido, y contener las críticas de los militantes que hubieran considerado «una venta» todo acuerdo por debajo de 45.000 pesetas. Esta es la razón por la que los trabajadores tratan de comprometer previamente a sus representantes para que defiendan unas cantidades concretas y, por ello mismo, los dirigentes tratan de oponerse a este tipo de mandato, sobre todo cuando creen que los militantes sindicales tratan de desacreditarles ante los trabajadores obligándoles a defender unas cifras irreales, totalmente imposibles de conseguir.

El compromiso público con una cifra determinada resulta útil, sin embargo, cuando se quiere ejercer la máxima presión sobre la otra parte. Los representantes sindicales que aceptan defender unas cifras determinadas están, en ciertas circunstancias, reforzando su posición negociadora frente a la empresa, que observa la publicidad que reciben las peticiones sindicales y es consciente de que los representantes sindicales tendrán grandes dificultades para aceptar un acuerdo que se aleje significativamente de la cifra publicada. Esto no hace más que subrayar la dificultad general de la elección de una posición inicial y las correspondientes tácticas de demostración de nuestro compromiso a la otra parte.

Los sindicatos que lo hacen bien consiguen mejoras superiores. Si lo hacen mal, el acuerdo se puede retrasar porque sus peticiones no son realistas (superan el límite de la empresa). Puede haber sanciones y el acuerdo final puede significar una gran pérdida de prestigio para una o ambas partes.

De todo esto se deduce una regla general: en las rondas iniciales hay que ser firme en lo general y flexible en lo concreto. Esta táctica es la que nos proporciona mayor margen de maniobra. Por lo mismo se deduce que debemos tratar de evitar que nuestro opositor se muestre, inicialmente, demasiado rígido en cuestiones concretas si éstas superan claramente nuestro límite. En cierta medida podemos evitarlo procurando no provocarle. Poner a nuestro opositor contra las cuerdas no nos beneficia; para salir de ellas puede imponernos unas sanciones dolorosas que justifiquen su retirada.

6.7 Una apertura realista

Una norma general que recomendamos es: *«Abrir con realismo, mover con modestia.»* Lo que significa una apertura realista dependerá en gran medida de las circunstancias de las negociaciones y del entorno asociado normalmente con el tipo de negociaciones que llevamos.

En algunas negociaciones hay una «cifra normal» establecida en otras negociaciones. Las negociaciones laborales, por ejemplo, suelen realizarse sobre unos precedentes: «¿qué es lo que otras empresas están concediendo?» La «cifra normal» es algún dato teórico como la tasa de inflación, o cierta cifra objetivo que los sindicatos han tomado como norma. En las negociaciones comerciales suele haber un margen de acuerdo aceptado normalmente en el sector o entre las dos partes afectadas. También puede ocurrir que la presión de la competencia obligue a rebajar una posición inicial que hubiera sido más alta sin una competencia tan clara o tan intensa.

Este tipo de consideración ha de tenerse en cuenta en la fase de preparación, facilitando la definición de una PMF realista. Pueden surgir datos que obliguen a revisar las posiciones previas, algunas de ellas derivadas de la información obtenida en la fase de discusión y señalización.

La elección de la posición de apertura puede ser crucial. Ya hemos comentado la táctica consistente en revelar la PMF inicial y justificar después su abandono en favor de una posición de apertura. Pero algunas palabras sobre lo que es una «apertura realista» pueden servir para un doble fin: explicar su significado e identificar sus ventajas.

Negociar educa. Cuando dos personas negocian regularmente entre sí, van conociendo cada vez mejor su respectivo estilo. Pero no todos los negociadores se conocen —algunas negociaciones son únicas—. Los negociadores pueden no encontrarse de nuevo. O la negociación puede ser la primera de una serie.

Ahora bien, el problema de toda negociación es la incertidumbre. No estamos seguros de lo que la otra parte puede aceptar, ni conocemos su estilo; no sabemos cómo interpretar lo que nos dice, ni sabemos cómo le afecta lo que nosotros decimos; de ahí que necesitemos indicios del curso probable de los acontecimientos una vez que pasemos la fase de discusión.

Consideremos el problema. Cuando nuestro opositor empieza en una posición «alta», ¿está dispuesto a acercarse mucho o sólo un poco? ¿Es auténtica su posición de apertura? ¿Es serio nuestro opositor cuando parece aceptar un punto muerto si no aceptamos sus condiciones? Esta firmeza, ¿es sólo precaución o es algo definitivo?

La incertidumbre puede favorecer nuestra posición. Si nuestro opositor interpreta que nuestra postura firme es definitiva, tratará de llevarnos a un acuerdo ofreciendo concesiones que quizá superen lo que esperábamos.

La reducción de la incertidumbre de la negociación también puede favorecernos. Cuanto más seguro esté nuestro opositor de nuestro compromiso, más racionalmente puede responder a nuestros movimientos. Si, por ejemplo, se sabe que nuestro estilo de negociar es el de no movernos apenas de una posición —una vez expuesta ésta—, nuestro opositor puede interpretar nuestros movimientos con mayor precisión y con menor margen de error que en el caso de una incertidumbre total.

Nuestro opositor no supondrá, por ejemplo, que existe una amplia gama de posiciones alternativas a las que podamos desplazarnos ante una presión o una discusión suficientemente dura de su parte. Sus expectativas, con otras palabras, estarán limitadas por su conocimiento de nuestro comportamiento negociador. A menos que hayamos malinterpretado totalmente la relación de fuerzas y el margen posible de acuerdo, habremos conseguido estructurar las expectativas de nuestro opositor en un intervalo más cercano a su posición límite que a la nuestra.

Por el contrario, si solemos cambiar de estilo —abriendo unas veces con un amplio margen de negociación y otras con un margen menor—, nuestro opositor puede malinterpretar la situación y suponer que el margen es grande cuando es pequeño. Su posterior irritación, una vez clara nuestra posición, es muy negativa; las personas que se sienten «traicionadas», «abandonadas» o «desorientadas» interpretarán nuestro comportamiento como «intransigente», «obstinado» y «ambicioso». Nos podemos encontrar con unas sanciones que eran evitables o con la pérdida de unas operaciones que eran factibles. Todo ello por haber desorientado a la otra parte.

Unas negociaciones que produjeron un paro de doce semanas nos ofrecen un ejemplo interesante de este comportamiento. La empresa abrió las negociaciones con una oferta del 12 %, pasó al 25 y cerró el trato con un 40 %. El próximo año la empresa tendrá dificultades para elegir su posición de apertura. Si abre con una posición cercana a su límite, le costará convencer a los trabajadores de que ésta es casi su oferta final y no un tercio de esta oferta final. Si la empresa abre con una posición próxima a su posición más favorable, no hará sino confirmar las expectativas de los trabajadores, enfrentándose de nuevo con unas largas negociaciones y con el riesgo de sanciones laborales.

Es mucho mejor empezar de forma realista, y moverse moderadamente, que empezar con cualquier posición y moverse a grandes saltos unas veces y a pequeños saltos las demás. Actuemos coherentemente. Vale la pena «enseñar» a nuestros opositores nuestro estilo y también adquirir práctica de negociación utilizando siempre unos mismos métodos comprobados. La decisión de ser realistas y hacer movimientos pequeños aumenta enormemente nuestra confianza a la hora de presentar nuestras propuestas. Nos da firmeza y «pulso».

La seguridad con que presentamos nuestra propuesta tiene gran importancia. Las personas con las que tratamos estarán mucho más seguras de que queremos algo si no vacilamos con «pueses» y «buenos» antes de llegar al núcleo de la cuestión. ¿Qué ventajas tiene el vendedor de bienes de consumo duradero sobre un cliente normal a la hora de negociar el precio? En primer lugar, tiene una práctica mayor, ya que hace esto mismo varias veces al día con diferentes clientes, y, en segundo lugar, tiene la ventaja de su formación, que le hace ser seguro y preciso. Un cliente que compra de vez en cuando, quizás cada dos o tres años, no puede saber muy bien cómo pedir concesiones o cómo negociar un precio. La persona sin experiencia, insegura de lo que debe hacer, tiende a ser evasiva y necesita mucho tiempo para llegar a una posición, recurriendo a muchas reservas y matizaciones. El vendedor, en cambio, no ofrece concesiones si no se las piden, ni hace un movimiento si piensa que el cliente ha decidido casi comprar.

LA SEGURIDAD CUENTA

Dos particulares que tratan de comprar o vender algún artículo de segunda mano suelen intercambiar preguntas como: «¿Cuánto quiere usted?», seguida de «¿Cuánto ofrece usted?» Ambos carecen de confianza en su presentación. Después, incluso, es probable que hagan afirmaciones como: «Mi tío compró uno por X pesetas» o «mi mujer me dijo que no gastara más de Y pesetas». Están tratando de poner la decisión del precio en una tercera persona, probablemente sin justificación para ello. Para terminar este tipo de transacción suele hacerse la pregunta: «¿Sería bastante esto y esto?» En este caso, la persona que pregunta confía en que la otra, por educación, no regateará.

En las negociaciones comerciales no podemos confiar en un estilo informal. Por el contrario, un negociador tiene que actuar decididamente y sin sentirse violento cuando defienda los intereses de su empresa.

6.8 **La presentación de las propuestas**

Una forma de mejorar la presentación de una propuesta es separar ésta de las explicaciones y justificaciones de la misma. Exponga el contenido de la propuesta y explique o justifique después ese contenido. No mezcle ambas cosas; la explicación o justificación puede parecer una disculpa. Si lo parece y la otra parte piensa que dudamos de ella, tratará de obligarnos a hacer concesiones. Nuestro tono de voz, nuestros rodeos y vacilaciones estimulan la resistencia a nuestra propuesta, no la hacen más aceptable.

La propuesta:

> «Si ustedes aceptan las siguientes condiciones: 1 ... 2 ... 3 ... 4 ..., nosotros estamos dispuestos a ofrecer: 1 ... 2 ... 3 ... 4 ... Nuestras razones para hacerlo son *a* ... *b* ... *c* ...»

constituye una forma mucho más segura de presentación que el estilo vacilante y lioso. Aunque sólo sea por la razón de que, a mayores explicaciones nuestras sobre un punto, mayores oportunidades damos a la otra parte de no estar de acuerdo con lo que decimos y de olvidar nuestra propuesta; así revelamos también nuestras motivaciones y pensamientos.

Tampoco creemos recomendable presentar una propuesta en una forma rígida de «lo toma o lo deja». Lo que decimos es que lo mejor es poner la propuesta y sus condiciones sobre la mesa *antes* de discutirla. Claro que podemos identificar posibles alternativas a los puntos que proponemos, pero la cuestión de desviarnos de ellas mientras las exponemos o después es una cuestión de estilo personal.

Una vez presentada la propuesta, se está en una posición dominante de la negociación. Se puede utilizar la propuesta para obtener una respuesta: «Esa es mi propuesta. ¿Resulta aceptable?» «¿Por qué no es aceptable?» o «¿Qué sería aceptable?» Recordemos que, normalmente, la primera propuesta condicional, pero realista, es la que pone los cimientos del acuerdo final. Quita la iniciativa a la otra parte y fuerza el ritmo.

6.9 **La recepción de las propuestas**

La recepción de una propuesta es la otra cara de su presentación. Sugerimos dos reglas importantes.

En primer lugar, no interrumpir la exposición de las propuestas. Nunca compensa, y a veces puede ser muy claro. Cuando interrumpimos una propuesta puede que dejemos de oír algo que iban a proponernos. Las personas suelen poner una concesión al final de la propuesta, y una interrupción puede eliminar esta concesión. La interrupción origina siempre antagonismo —a nadie le gustan las interrupciones— con el resultado de irritar a la otra parte.

En segundo lugar, no pasar a un rechazo inmediato. Rara vez merece la pena. Aunque sea absolutamente inaceptable, es mejor tratar la propuesta y a su autor con cierto respeto. Verán que no los consideramos con seriedad si la rechazamos inmediatamente. Si lo que queremos es hacer notar lo firme de nuestra postura hay otras formas de conseguirlo sin molestar a nuestro opositor. A todo el mundo le gusta que se escuchen sus opiniones; no perdamos puntos gritando «no» cuando no tenemos que hacerlo.

Escuchemos la propuesta. Hagamos preguntas para aclarar los puntos que no veamos claros (puede proporcionarnos señales) y, después, pidamos tiempo para estudiarla o, si estamos preparados, demos una respuesta inmediatamente.

Una propuesta merece una atención seria como tal propuesta, aunque no sea la base para un acuerdo sobre el tema en litigio. Si somos nosotros quienes la hemos presentado, querremos una respuesta detallada y, de he-

EL ESTILO VACILANTE Y LIOSO

(Versión de una propuesta presentada en una negociación de una fábrica de Escocia en 1978)

«Estamos dispuestos, como siempre lo hemos estado, aunque parece que ustedes no lo creen, a consultarles acerca del empleo de personal subcontratado, esto..., aunque tendremos que pensar en la mejor solución mutuamente y realizar consultas. Saben ustedes lo difícil que resulta a veces ponerse de acuerdo. Dios sabe a dónde pueden llegar ustedes, a veces es como buscar una aguja en un pajar. Y tendremos que pensar en el tipo de preaviso que necesitamos desde el punto de vista de la producción; no podemos tener la fábrica parada —ya ha parado bastante— y estoy seguro de que ustedes querrán cierto tiempo para consultar al resto del personal, pero no empiecen a pedir dinero, porque no lo tenemos... Desde luego, no queremos que piensen que vamos a utilizar personal subcontratado porque no confiamos en la sección de mantenimiento; no sé por qué nadie tendría que sacar esta conclusión, nunca lo hemos pensado; fue una irresponsabilidad de sus representantes el decirlo... Queremos que sepan que nuestra política es recurrir a personal subcontratado sólo en caso absolutamente necesario, lo que quiere decir: cuando todo el personal de mantenimiento esté trabajando todas las horas extra posibles, por lo que este aspecto depende de ustedes. Si el personal sigue trabajando las horas extra que necesitamos, no necesitaremos tanto personal externo, pero necesitamos que ustedes nos avisen con tiempo y sean flexibles; no podemos abrir la puerta y esperar que el personal subcontratado llegue en una hora; esta gente trabaja para otras empresas y tenemos que avisarles con tiempo; así que necesitamos que nos digan ustedes a tiempo si están o no están dispuestos a trabajar horas extra. La lista del personal que mete horas extra es ya excesivamente confusa, parece un jeroglífico con tantos cambios —lo que nos extraña es que alguien pueda entenderla— lo que provoca errores y quejas de su gente y de la mía, y tengo que dedicar a aclararla un tiempo que necesito para otras cosas. En fin, no consideren ustedes un problema la aceptación de estas propuestas.»

cho, deberemos pedirla, aunque sea un «no» rotundo. Una respuesta detallada ofrece la oportunidad de enviar señales.

Podemos explicar las partes de la propuesta que nos interesan para una posible negociación y las que no nos interesan. Esto indica a nuestro opositor las áreas que debe desarrollar. Si no se lo indicamos, se encontrará con que ha hecho una propuesta y no sabe, por falta de información, qué hacer a continuación. Un «no» rotundo sin más explicación no sirve para nada, lo único que hace es llevarnos de vuelta a la discusión o incluso a la ruptura.

Si nos encontramos ante un «no» rotundo debemos pedir alternativas y tratar de conseguirlas con paciencia de la otra parte. El «no» no es una base para la negociación. No debemos animar a la gente a decir que «no» premiándole después con el ofrecimiento de nuevas alternativas cada vez que lo hace. En caso contrario, seremos nosotros quienes hagamos todos los movimientos y todas las concesiones; al otro le bastará esperar hasta estar seguro de haber agotado todas nuestras posibilidades, para entonces decir «sí» o «no».

Una propuesta alternativa debe tener en cuenta el avance de las negociaciones hasta el momento. Debe tratar de buscar un terreno común, por

EL ESTILO CLARO Y ORDENADO

«Si ustedes están dispuestos a cumplir las condiciones siguientes:

1. Su disposición a entablar consultas tras un período de notificación razonable.
2. Garantías de que un número mínimo de trabajadores está dispuesto a trabajar horas extraordinarias.
3. La notificación con un plazo apropiado de la interrupción de las horas extra por parte de cada trabajador.

Nosotros estamos dispuestos a estudiar la oferta de:

1. Unas consultas entre el director de mantenimiento y los delegados sindicales sobre nuestras intenciones de utilizar personal subcontratado en un proyecto concreto.
2. Un compromiso de que sólo se recurrirá a personal subcontratado cuando el proyecto no pueda ser atendido con las horas normales y las horas extra de nuestro propio personal.
3. Una declaración expresa de nuestra permanente confianza en el rendimiento de nuestro personal de mantenimiento.»

En caso necesario, o si la otra parte lo solicita, puede exponerse el fundamento en que se basan las propuestas, pero también con el formato 1, 2, 3 y siguiendo muy de cerca las condiciones y propuestas expuestas.

pequeño que sea. Aun en el terreno más pequeño se puede edificar algo. Esto no significa que tengamos en este momento que estar de acuerdo con todos y cada uno de los puntos de la propuesta; la mejor forma de defender nuestros intereses es mantener todos los puntos enlazados, aquellos con los que estamos ya de acuerdo y aquellos con los que todavía no estamos de acuerdo. Debemos indicar las áreas en las que puede haber acuerdo siempre que queden arreglados los temas pendientes. Se trata de desviar las negociaciones de los intercambios iniciales de propuestas hacia la fase de «empaquetamiento».

La técnica más útil de tratamiento de propuestas y contrapropuestas consiste en hacer un resumen. El resumen contribuye a centrar la atención. Los resúmenes organizan el tema, recuerdan a todo el mundo lo que ocurre y demuestran que se escucha atentamente.

Ya nos hemos referido a la «relación de fuerzas». Las propuestas cambian esta relación. La persona que acaba de hacer una propuesta adquiere una posición fuerte. Puede adoptar la actitud: «Yo he hecho una propuesta; si a usted no le gusta, ¿qué contrapropuesta ofrece?» Incluso en el caso de que la propuesta reciba un rechazo abierto, su autor puede repetir la pregunta. De esta forma pasa la responsabilidad de la siguiente fase a la otra parte.

6.10 **Los descansos**

Unas palabras sobre esto. El número y la frecuencia de los descansos dependerán de la práctica usual de los negociadores en el entorno en el que operan. Las negociaciones laborales suelen tener descansos más frecuentes que las comerciales, aunque no siempre. La negociación de un contrato importante puede alargarse, por necesidad, durante muchas sesiones.

La finalidad principal de los descansos es revisar y valorar el avance de la negociación en relación con los objetivos propios y los objetivos estimados de la otra parte. Los descansos nos ofrecen la oportunidad de actualizar nuestra estrategia a la vista de lo observado por nosotros y nuestro equipo. Nunca se insistirá bastante en este punto: los descansos son sesiones de preparación para la reunión siguiente. Permiten reconsiderar los objetivos G. P. T. a la luz de la información captada en las negociaciones.

Si la pausa responde a la necesidad de estudiar una propuesta concreta y no a necesidades naturales (como las de comer o dormir) o el fin de semana, es importante recordar que este tipo de pausa crea expectativas de una respuesta en la oposición. Es vital interpretar lo que está ocurriendo, recordando constantemente nuestros objetivos.

Un descanso a destiempo puede, de hecho, reducir la presión que se está ejerciendo sobre la oposición. Ésta, para la reunión siguiente, habrá recibido una nueva onda o nuevas instrucciones. En la vida comercial, un descanso puede servir para que entre la competencia; mientras nosotros pensamos en la forma de rechazar la oferta que se nos ha presentado, llegan nuestros rivales y cierran el trato.

Recordemos que las propuestas son, en las rondas iniciales, exploratorias. Se trata de sugerencias. Señalan el camino que puede seguir la negociación. Son los ingredientes que vamos a utilizar después para preparar el plato final.

No rechacemos el menú porque no nos guste un plato. Y, a la hora de elaborar nuestro menú, ofrezcamos la máxima variedad posible para cada plato.

Podemos crear una atmósfera más productiva y positiva si aceptamos «estudiar», «investigar» los puntos de una propuesta aunque tengamos intención de rechazarlos abiertamente en una fase posterior.

Cuantas más variables puedan introducirse en las fases iniciales, mayores probabilidades tendrán ambas partes de llegar a un acuerdo satisfactorio.

Las fases siguientes constituyen las etapas más intensas del proceso de negociación: el montaje del paquete y el intercambio. Estas fases son las que exigen mayor atención y práctica. Es en ellas donde se gana el dinero, los premios y las satisfacciones. Todo el proceso anterior ha ido dirigido a estas dos etapas.

6.11 **Lista de comprobación. Las propuestas**

- Las propuestas superan a las discusiones porque éstas no se negocian.
- ¿Cuáles son las propuestas, tanto nuestras como de nuestros opositores?
- Una propuesta es *una* solución a un conflicto: estudiemos las demás soluciones.
- ¿Ganamos más enlazando en la propuesta las distintas cuestiones o separándolas? Al mantenerlas unidas, conservamos un margen de negociación. Separándolas, reducimos este margen. Esta segunda alternativa nos favorece cuando algunos de los puntos en conflicto están ya próximos a nuestro límite y, al mantenerlos todos unidos, nos veríamos obligados a hacer concesiones que superarían nuestro límite.
- Seamos firmes en lo general; por ejemplo: «*Tenemos que* recibir una indemnización.»

- Seamos flexibles en lo concreto; por ejemplo: «*Proponemos* una indemnización de 1.000.000 de pesetas.»
- No usemos un lenguaje débil: «Esperamos», «Nos gustaría», «Preferiríamos». Utilicemos un lenguaje firme: «Necesitamos», «Tenemos que», «Exigimos».
- Empecemos por expresar nuestras condiciones y seamos concretos.
- A continuación expongamos nuestra propuesta de forma exploratoria.
- Las concesiones iniciales no deben ser grandes, sino pequeñas.
- Las condiciones iniciales deben ser grandes y no pequeñas.
- Máximas a recordar:

—*No nos limitemos a presentar una reclamación, propongamos un remedio.*
—«Abramos» de forma realista.
—Movámonos de forma modesta.
—Empecemos por nuestras condiciones.

Capítulo 7

EL «PAQUETE»

7.1 **Introducción**

El montaje del «paquete» lleva las negociaciones al campo del intercambio. Es la antecámara de la fase de intercambio, el puente entre los movimientos de apertura y la puesta en común final de los negociadores. Se trata, efectivamente, de una actividad que establece el temario de la sesión de intercambio.

Antes de analizar la fase de montaje del «paquete» revisemos la evolución seguida hasta ese punto por una negociación hipotética.

Las partes se han preparado bien. Han definido sus objetivos y ordenado éstos según su importancia. La discusión ha revelado nueva información y algunas de las actitudes, intereses e inhibiciones de la otra parte. Si los negociadores se han observado y escuchado, habrán identificado las señales de que un acuerdo es posible y deseable. Mediante una serie de propuestas y contrapropuestas se han delineado las principales variables.

Este es el momento adecuado para el montaje del «paquete».

7.2 **¿Qué es un «paquete»?**

Los negociadores suelen abrir la negociación con lo que llaman un «paquete» de propuestas. Cuando hablamos del montaje de un paquete, no nos referimos a éste. El «paquete» de apertura no es más que un conjunto de propuestas que el negociador presenta sin considerar lo que la otra parte quiere. El montaje del paquete al que aquí nos referimos es una actividad estudiada en respuesta a los movimientos de apertura realizados en el curso de la negociación. Tiene un propósito definido: facilitar el avance de las partes hacia una posible posición de acuerdo. Difiere por ello de una lista de peticiones u ofertas iniciales porque la finalidad de este tipo de paquetes es presentar los objetivos del que los propone y no unos objetivos revisados en función de las reacciones de su opositor.

Lo bonito del montaje del paquete es que, en su conjunto, un paquete no suele ofrecer nuevas concesiones, sino que presenta las variables de la otra parte; es más: un paquete puede eliminar concesiones otorgadas previamente y sustituirlas por puntos menos gravosos si se ve que así el resultado global va a resultar más atractivo para la otra parte.

7.3 **Las reglas**

Las reglas para el montaje del paquete son:

1. Dirigir el paquete a los intereses e inhibiciones de la otra parte.
2. Pensar creativamente en todas las posibles variables.
3. Valorar nuestras concesiones desde el punto de vista de nuestro opositor.

Nuestra percepción de los intereses de la otra parte puede ser diferente de la percepción que ésta misma tiene de ellos. El paquete nos permite influir en ellos, quizás hasta llegar a alterar sus percepciones. Podríamos decir:

> «Si concediésemos esa subida de salarios tendríamos que prescindir de un 20 % del personal.»

O bien:

> «Si cumpliésemos ese nivel de calidad, tendríamos que retrasar la entrega seis meses.»

O bien:

> «Si vas al club esta noche, te aseguro que no estaré aquí cuando vuelvas.»

Estamos mostrando a la otra parte las consecuencias de su insistencia en una determinada dirección. Después, podemos presentar un paquete que satisfaga sus intereses:

> «Sin embargo, podríamos conceder un aumento importante de salarios a cambio de una mayor productividad.»

«Sin embargo, si ustedes están dispuestos a pagar un precio más alto, podríamos cumplir sus exigencias de calidad dentro del plazo exigido.»

«Si me prometes que me llevarás a cenar la semana próxima, te dejaré ir al club esta noche.»

RECORDEMOS SUS INHIBICIONES

Una empresa de construcción de aviones quería introducir un nuevo plan de primas de producción que elevara la productividad y sustituyera al sistema de remuneración vigente. La empresa ofrecía unos márgenes bastante más altos para conseguir la aceptación del plan por los trabajadores. La representación sindical se opuso basándose principalmente en la pérdida de puestos de trabajo. Para superar esta oposición, los negociadores de la empresa elevaron la oferta salarial, con lo que un gran número de trabajadores se sintieron atraídos por las nuevas primas.

Para rematar el trato, la empresa declaró que, si no se aceptaba totalmente el plan, veía amenazada la seguridad futura de los puestos de trabajo. El plan fue rechazado decididamente en las votaciones posteriores.

Los negociadores deben montar el paquete de sus propuestas con una mente receptiva y comprensiva de las inhibiciones que impiden a la otra parte aceptar un acuerdo. En este caso, existía un temor auténtico y extendido a la pérdida de puestos de trabajo; el paquete final y la amenaza de la empresa no hicieron sino aumentar este temor.

Si pensamos creadoramente en las variables, siempre pueden replantearse incluso los puntos más simples. Los temas no son entidades autosuficientes. Tienen dimensiones (¿cuánto?), destino (¿para quién?), tiempo (¿cuándo?) y condiciones (¿precio?). Naturalmente, cuanto mayor sea el número de temas que puedan entrar en el paquete, más libertad existe para el montaje del mismo.

Existe un margen amplio de creación de variables, si las buscamos. El dinero produce muchas variables: mayores aumentos, reparto de costes, crédito a mayor plazo, gastos fijos, gastos variables, cláusulas de penalización, cláusulas de compensación, tipos de interés, la clase de divisa, etc.

Si queremos pensar creadoramente en el montaje del paquete, hagámonos estas preguntas sobre cualquier tema:

—*¿Quién* obtiene algo?
—*¿Qué?*
—*¿Cuánto?*
—*¿Cuándo?*

No todas las preguntas tendrían una respuesta, pero siempre provocarán algunas ideas sobre posibles variables. El montaje del paquete implica la búsqueda activa de variables que no siempre son evidentes. Esta es una de las razones por la que abogamos por que el negociador conserve el máximo número de opciones abiertas desde las primeras rondas de la negociación, evitando llegar a acuerdos sobre temas aislados. Si mantiene enlazados todos los temas que pueda, tendrá mayor margen en las fases de montaje del paquete y de intercambio.

Es mejor que seamos nosotros mismos quienes descubramos las variables que se nos ofrecen y no confiemos en «la buena voluntad y la generosidad» de nuestro opositor. Puede que éste considere preferible quedarse callado y observar nuestra lucha por evitar una concesión sin conseguir nada a cambio. Es raro que nuestro opositor nos diga: «Viendo su generosidad conmigo, le voy a dar lo siguiente...». Si ya hemos concedido los puntos marginales de menor valor (desde nuestro punto de vista), no tenemos nada que podamos usar en el mismo momento en que más lo necesitamos. Lo que, en términos generales, puede tener un valor bajo, puede tener un valor altísimo en el momento en que necesitemos desesperadamente algún movimiento de nuestro opositor.

Nuestra opinión es que, en tanto que la negociación implica movimiento, lo que hace falta en los primeros pasos de una negociación es manifestar la voluntad de moverse, y no necesariamente dar pruebas de esta voluntad. Con otras palabras, no es lo mismo una señal de flexibilidad que una concesión real. Algunos negociadores no están de acuerdo con esta opinión y prefieren probar su buena disposición haciendo algunas

APUNTAR A LAS INHIBICIONES

Un grupo de empresas hizo una oferta de absorción a una pequeña empresa creada por un promotor individual. La oferta fue rechazada, como lo fueron otras dos ofertas posteriores. El grupo se encontraba perdido, sin poder comprender los motivos de esta negativa. No supieron desvelar las inhibiciones reales del empresario:

Hombre de 40 años, rico y jefe indiscutible de su empresa, este hombre no necesitaba dinero. Sus preocupaciones eran: «¿Cómo podría trabajar dentro de un grupo grande y, de marcharme, qué haría en los próximos 25 años?»

El propietario acabó por vender la empresa en una cantidad menor a un grupo que le ofreció la dirección de otra firma con total autonomía operativa y, además, un puesto en el consejo de administración central.

Si la otra parte no responde a nuestras concesiones, ¿será quizás porque no apuntamos a sus inhibiciones?

¿CUÁL ES EL PRECIO?

Si queremos que alguien acepte algo que le resulta inaceptable en principio, podemos ofrecerle un plazo dilatado de tiempo. Una vez aceptado el principio, podemos negociar la longitud del plazo. Este mismo artificio de separar principio y consecuencias puede ser útil en el caso en que la variable no sea el tiempo sino el dinero.

George Bernard Shaw lo ilustraba en su famoso ejemplo de la señora inabordable y el seductor. El hombre le pidió a la mujer que se acostara con él, a lo que ella se negó. Luego le preguntó si se acostaría con un hombre por 50.000 pesetas, a lo que ella respondió: «Posiblemente». Él le preguntó entonces si se acostaría con él por 500 pesetas. La mujer, indignada, le replicó: «¿Por quién me ha tomado usted, por una prostituta?» A lo que el hombre respondió: «Ya hemos dejado claro lo que es usted; ahora sólo estamos discutiendo el precio.»

concesiones menores en las primeras fases de la negociación para facilitar el avance hacia un compromiso. Creen que así crean una «buena voluntad».

No rechazamos absolutamente esta opinión —la negociación se basa también en un estilo y en unas circunstancias personales—, pero ponemos en duda su generalidad. Tiene que haber, efectivamente, signos de movimiento y, si han de hacerse concesiones menores, éstas deben seguir, en nuestra opinión, la regla básica del intercambio: «Ustedes se mueven en esto y nosotros nos movemos en aquello»; no han de ser regalos sin compensación. La buena voluntad es un camino de ida y vuelta y resulta más seguro intercambiar pequeños movimientos que mantener la ilusión a base de gestos unilaterales.

La plataforma de negociación más sólida que podemos construir consiste en decir a nuestro opositor lo que ofrecemos —nuestro paquete— y preguntarle si está dispuesto a intercambiar concesiones, mayores y menores. Es la forma de preparar el camino para la fase de intercambio en el que éste tiene lugar. No nos oponemos a unos primeros intercambios de concesiones, pero tenemos nuestras reservas sobre los «regalos», ya que éstos reducen el margen de negociación.

Los directivos suelen hacer concesiones sin considerar lo que éstas valen para la otra parte. Creen que basta con considerar su valor para ellos mismos. Si no valen mucho para ellos, no ven inconveniente en concederlas pronto y quitarlas de en medio. Esta actuación está, en nuestra opinión, profundamente equivocada. Nunca crea buena voluntad, sino que a veces contribuye a producir el efecto contrario. Cuando se hacen concesiones menores en los primeros contactos, dejando pendientes las cuestiones sustantivas, es frecuente encontrarse con que nuestro opositor aumenta su nivel de hostilidad a causa de nuestra aparente intransigencia. Olvida, y desde luego minimiza, las primeras concesiones. Pero si tenemos todavía la posibilidad de hacer estas concesiones, podemos presentar un paquete mucho más atractivo, haciendo algunas concesiones en las cuestiones más importantes y, además, otras concesiones en los temas de menor importancia (para nosotros).

Todo lo que la oposición nos pide en una negociación tiene algún valor para ella. Incluso la información puede tener algún valor. Lo que tiene consecuencias pequeñas para nosotros puede tener una valor inmenso para la otra parte. De ahí que debamos valorar nuestras concesiones desde la posición de la otra parte y no sólo desde la nuestra.

¡SALUD!

Una empresa que había alquilado varias habitaciones en un hotel para un curso de formación disponía de dos habitaciones de reserva por si hacían falta para reuniones de pequeños grupos de trabajo. La última noche del cursillo, el director del hotel preguntó al organizador del curso si podía ayudarle a resolver un problema surgido de un exceso de reservas por recepción. El hotel necesitaba estas dos habitaciones para unos huéspedes que llegarían en el plazo de una hora. El director del curso accedió porque no necesitaba ya las habitaciones. La concesión no le costaba nada, por lo tanto. Sin embargo, accedió a ceder el uso de las habitaciones con la condición de que la dirección del hotel ofreciera un aperitivo con champagne a los asistentes al curso. El resultado fue un final feliz para el curso y para el hotel.

Antes de hacer una concesión, hagámonos tres preguntas:

1. ¿Qué valor tiene la concesión para la otra parte?
2. ¿Cuánto nos cuesta?
3. ¿Qué queremos a cambio?

Por muy bajo que sea para nosotros el valor de la concesión, si ésta tiene cierto valor para nuestro oponente, hagamos que nos sirva para alcanzar nuestro objetivo en la negociación.

Esto es aún más esencial cuando nuestro opositor nos pide algo que, sin saberlo él, teníamos intención de ofrecer en todo caso. Acceder rápidamente e incluso sin conexión alguna con la marcha de la negociación es sencillamente un despilfarro. Pero el negociador que está montando un paquete retendrá estas concesiones y las introducirá en el paquete, presentándolas como muy importantes, nunca como algo sin coste alguno.

7.4 **Otra vez el G. P. T.**

El paquete apunta a algunos, y quizás a todos, los intereses e inhibiciones de la otra parte. La medida en que vayamos a tener en cuenta los intereses de nuestro opositor dependerá de la intensidad del conflicto, la relación de fuerzas y los intereses básicos de nuestra parte. El análisis G.P.T. utilizado en la preparación nos puede facilitar el trabajo en esta fase.

NO VENGA A VERME; VOY YO

Después de una estancia insatisfactoria en un hotel de Londres, un empresario presentó una lista de reclamaciones a la dirección del hotel, proponiéndoles además las satisfacciones que esperaba. A su vuelta a Escocia, este empresario recibió una llamada telefónica del director comercial de la cadena de hoteles. El director se ofreció a volar a Escocia para pedir disculpas personalmente por los fallos del hotel, que habían afectado negativamente a la promoción comercial del empresario. Esta era la propuesta del director.

El empresario hizo una contrapropuesta: «Mándeme un billete de ida y vuelta a Londres y me ofrece allí sus disculpas». La contrapropuesta fue aceptada.

Esta aceptación se basa en que ambas partes conseguían sus objetivos. El director comercial ahorraba tiempo y esfuerzo, con la ventaja además de ofrecer las disculpas en su propio despacho. El empresario podía rectificar en parte el perjuicio comercial que había sufrido su presentación a causa del hotel y ahorrarse además el coste de un viaje a Londres que tenía en cualquier caso previsto.

Una vez ordenados así nuestros objetivos, tenemos la posibilidad y los medios de movernos, si las circunstancias nos indican que hay que moverse para llegar a un acuerdo.

Podemos utilizar nuestras propuestas G como concesiones en la sesión de intercambio, introduciéndolas en nuestro nuevo paquete de propuestas.

Puesto que son nuestras propuestas más ambiciosas las que, por definición, podemos sacrificar, al introducirlas como variables en nuestro paquete nos reservamos el máximo margen de maniobra. Claro que puede ocurrir que las negociaciones hayan revelado que podemos avanzar en los puntos G o que, debido a que son ambiciosos, podemos utilizarlos, ampliándolos un poco, como elementos «atemorizadores» para acercar a nuestro opositor a nuestros puntos P y T.

«LAS BOTAS DE TRABAJO»

Se trataba de una importante negociación salarial. Los trabajadores habían presentado la lista normal de reivindicaciones incluyendo peticiones de todo tipo: la mejora de este salario, de aquella prima, etc.

Entre los 21 puntos presentados aparecía la petición de «botas de trabajo» para los trabajadores.

Los negociadores de la empresa rechazaron este punto en los primeros momentos. Pero el mismo punto reapareció, tras una y otra pausa, en las contrapropuestas sindicales. La empresa estaba asombrada. Su propia valoración les indicaba que se trataba de un punto de «refuerzo» en el que los trabajadores no insistirían demasiado. Tras varias sesiones, la mayoría del equipo de la empresa tendía a ablandarse y era partidaria de conceder el punto de las botas para avanzar en las negociaciones. El jefe de la negociación no estaba de acuerdo y, después de la última pausa, rechazó definitivamente el punto de «las botas de trabajo». El dirigente sindical, en su réplica, señaló: «nos habíamos olvidado ya de quién planteó por primera vez el tema».

Si nos hemos preparado bien, hemos atendido a las señales y hemos analizado los objetivos prioritarios de la oposición, no debemos dejarnos distraer por las falsas pistas.

El paquete conduce la negociación hacia el terreno del intercambio, por lo que debe contener puntos que puedan ser modificados o intercambiados con la otra parte. Esta es la razón por la que no debemos eliminar totalmente de nuestras propuestas inciales todo aquello que resulte inaceptable a nuestro opositor. Dejémosle que sea él quien las elimine mediante concesiones por su parte. En el paquete es permisible modificar una propuesta o ampliar un punto si nos vemos obligados por las circunstancias a renunciar a otro. Cuanto más material de intercambio tengamos, mejor para nosotros y mayores las probabilidades de llegar a un acuerdo.

7.5 **Lista de comprobación. El montaje del paquete**

- Identifiquemos las inhibiciones, los objetivos y las prioridades de nuestro opositor, así como la probabilidad de concesiones detectada a través de sus señales.
- Revisemos nuestros objetivos y los de nuestro opositor con el método G.P.T.
- ¿Existen suficientes indicaciones de movimiento para presentar un paquete?

- ¿Cómo podemos dirigir nuestro paquete a algunas o todas de las inhibiciones de nuestro opositor?
- ¿Qué concesiones queremos conseguir?
- ¿Qué margen de negociación tenemos en nuestra posición actual?
- ¿Qué concesiones vamos a ofrecer en el paquete?
- ¿Qué queremos a cambio?
- Consideremos el *ritmo* de ofrecimiento de las concesiones: ¿es más rápido o más lento que el esperado?
- Si es más rápido, ¿por qué? Si es más lento, ¿por qué? ¿Debiéramos revisar nuestra PMF y nuestro límite?
- ¿Debiéramos esperar un poco más o avanzar ahora?
- Elaboremos nuestra lista de condiciones y pongámosla por delante en nuestro paquete.
- ¿Hemos considerado *todas* las variables posibles del paquete? ¿Podemos crear algunas variables nuevas en cualquier aspecto de las relaciones con nuestro opositor e introducirlas en las negociaciones?
- Máximas a recordar:

  —*¿Quién obtiene algo?, ¿qué?, ¿cuánto?, ¿cuándo?*
  —*Apuntemos a las inhibiciones.*
  —*Hagamos que las concesiones sirvan a nuestros objetivos.*
  —*Si una cosa es valiosa, es variable.*
  —*Analicemos nuestras concesiones según las condiciones de la otra parte.*

Capítulo 8

EL INTERCAMBIO

8.1 **Introducción**

En el intercambio se trata de obtener algo a cambio de renunciar a otra cosa. Es la parte más intensa del proceso de negociación y ambas partes han de estar muy atentas a lo que hacen. Unas concesiones mal valoradas pueden constituir la diferencia entre un resultado bueno (rentable) y un resultado menos bueno y probablemente no rentable. En este capítulo vamos a describir algunas técnicas sencillas que pueden ayudar al negociador a conseguir un acuerdo favorable a sus intereses.

8.2 **El gran «si»**

La regla más importante para la fase de intercambio es que toda propuesta, toda concesión, prácticamente toda frase, sean *condicionales*. No debe darse nada, absolutamente nada, gratis. Por todo, absolutamente todo, lo que se concede se debe recibir algo a cambio.

Esta es la regla que llamamos del gran «si».

«Si usted acepta X, nosotros aceptaremos Y.»

La palabra clave es «si». Cuando ponemos un «si» delante de una afirmación, evitamos que pueda apropiarse de ella sin más nuestro opositor. Sin un «si», éste nos puede dar las gracias y embolsarse nuestra concesión sin compensación recíproca alguna. Y muchas veces esto es lo que le invitan a hacer aquellos negociadores inexpertos que suponen, por alguna razón, que, si son generosos con sus opositores, acabarán por convencer a éstos para que lo sean a su vez. Y, lo que es más, muchos negociadores continúan, a pesar de la experiencia, probando la postura generosa sin ver la relación existente entre sus fracasos como negociadores y su comportamiento de distribuidores de regalos sin compensación alguna.

Empecemos a utilizar el «si» y comprobemos la diferencia. Ocurrirán dos cosas. En primer lugar, nuestro opositor recibirá una clara señal del precio que ponemos a la concesión. Segundo, le estaremos «educando» para el intercambio: tiene que pagar todas nuestras concesiones con otras concesiones.

Si no le acostumbramos bien, supondrá naturalmente que nuestras concesiones son algo que le corresponde por derecho o por fuerza. Ni una ni otra hipótesis nos favorece. La negociación en este caso se convierte en un proceso de aceptación de su PMF. Nos vemos obligados a aceptar más de lo necesario. Podemos racionalizar este resultado consolándonos con el hecho de que «hemos pagado el precio de la paz» («al menos no hemos tenido una huelga») o «conseguido el pedido» («un pedido con un descuento grande es mejor que nada»). Pero estas racionalizaciones son un mal sucedáneo de unos acuerdos más próximos a nuestra PMF que a la de nuestro opositor.

Sobre todo, cuando la solución está en utilizar una palabra de dos letras nada más.

En lugar de contestar: «Bien, concedemos este punto. ¿Aceptan ustedes el acuerdo?» (muchas veces, olvidando incluso esta segunda parte), debiéramos decir: «*Si* ustedes aceptan el paquete ahora, modificaremos nuestra posición sobre este punto.» No hemos concedido el punto en conflicto porque hemos introducido el «si». Hay, por decirlo de otra forma, un hilo invisible atado a la concesión ofrecida del que podemos tirar si la otra parte no acepta nuestra condición.

Si nuestro opositor responde afirmativamente a nuestra concesión tendremos un acuerdo. Si nos dice que tiene otros puntos de discrepancia que tiene que dejar asentados antes de aceptar nuestro paquete, le responderemos simplemente pidiéndole que exponga claramente esas discrepancias, teniendo cuidado de no hacer concesión alguna aisladamente.

El gran «si» es un escudo protector para nuestras ofertas de concesiones. Es nuestro precio. Si a la otra parte no le gusta nuestro precio, es a ella a quien corresponde decírnoslo y a nosotros aclarar que nuestro precio es firme o decir qué precios alternativos podríamos aceptar. En tanto no acepte nuestro precio, no haremos concesión alguna. No damos nada a crédito. Nada de fiado. En la fase de intercambio todo tiene un precio. Ciertamente que estamos siempre abiertos a nuevas ofertas. Pero las ofertas no se basan en el derecho a la fuerza; deben ser algo que ofrecemos a cambio de aquello que se nos pide.

LA TÁCTICA DEL «SI»

El siguiente ejemplo ilustra algunos de los movimientos que pueden darse en una sesión de intercambio. (Nos limitamos a reproducir los movimientos reales, eliminando la «charla», a veces de larga duración, que separa un movimiento de otro.)

Dirección: Si ustedes retiran la petición de ayudas de comedor, aumento de la prima por trabajo a turnos y aumento de vacaciones, estamos dispuestos a mejorar nuestra oferta de aumento de los salarios base.

Trabajadores: Estaríamos dispuestos a considerar la renuncia a estos puntos, pero ello dependerá del nivel de su oferta sobre los salarios base... *(Descanso.)*

D.: Si confirman ustedes su disposición a retirar esas peticiones, mejoraremos nuestra oferta pasando del 10 al 12 %.

T.: Esa propuesta no es aceptable. Si estuvieran dispuestos a ofrecer un 15 %, podríamos estar en situación de llegar a algún tipo de acuerdo... *(Descanso.)*

D.: No podemos aceptar esa propuesta. Pero, para llegar a un acuerdo final, estaríamos dispuestos a mejorar nuestra última oferta con la condición de que ustedes recomienden unánimemente la aceptación del paquete total; que el convenio tenga una duración de 12 meses y que el aumento adicional se empiece a pagar 3 meses después de la firma del acuerdo.

T.: Aceptamos una duración de 12 meses y no rechazamos en principio una subida en dos fases. Ciertamente, recomendaremos la aceptación del acuerdo *si* la segunda subida nos resulta aceptable.

D.: En este caso nuestra oferta definitiva es la siguiente: Con la condición de que se retiren ahora todos los demás puntos, de que el convenio tenga una duración de 12 meses y de que los representantes sindicales recomienden la aceptación de todo el acuerdo, pagaremos un aumento del 12 % más otro 2 % dentro de tres meses.

T.: De acuerdo.

8.3 Empezar por las condiciones

Algunos negociadores «se olvidan» de poner condiciones a sus concesiones. Preocupados por establecer una oferta revisada y porque ésta llegue a su opositor antes de que les interrumpa, se olvidan de poner condiciones a la misma. Algunos las recuerdan unos minutos más tarde y tratan de introducir sus condiciones como una reflexión tardía y desesperada. No es siempre fácil poner las condiciones sobre la mesa *después* de ofrecer la concesión, ya que el opositor reaccionará negativamente ante el intento. O bien no toma en serio las condiciones —ya que, mentalmente, se ha embolsado ya la concesión— o ve el intento como una violación de las normas de procedimiento, pensando que hemos tratado de plantear los *peros* fuera de turno.

La mejor forma de evitar esta situación es empezar siempre por las condiciones. Pongámoslas claramente por delante. A continuación digamos a la otra parte lo que le daremos si acepta lo que hemos presentado como condición.

OTRA VEZ LA TÁCTICA DEL «SI»

En el conflicto del periódico *Times* que tuvo lugar en 1979, la empresa suspendió la publicación y despidió al personal de talleres tras fracasar en la negociación de unos «cambios» satisfactorios en la plantilla y la introducción de la nueva tecnología necesaria para modernizar competitivamente su explotación.

La empresa adoptó la siguiente posición negociadora: «Si los trabajadores hacen concesiones en los procedimientos de resolución de conflictos y en los métodos de trabajo, readmitiremos a los despedidos.»

Pero habiendo presentado el asunto con un claro uso del «Si»... les faltó la resolución (y los recursos) para llevarlo a cabo. Los sindicatos valoraron con mayor precisión el equilibrio de poder y se mantuvieron firmes hasta que la dirección dio marcha atrás.

OTRA VEZ MÁS

Los despidos disciplinarios son una de las principales causas de los conflictos laborales. No hay que olvidar que el objetivo T es mejorar la convivencia futura estableciendo unas reglas aceptadas de conducta para evitar así la repetición de problemas similares.

La solución al problema inmediato de la sanción al individuo afectado ocupa en la negociación un lugar secundario cuando se establece un orden de objetivos. Por ello, una posición legítima de intercambio en un caso de despido puede ser: «Si los trabajadores aceptan que toda falta futura de esta naturaleza sea motivo de despido, estamos dispuestos, en este caso concreto, a dar al trabajador una nueva oportunidad.»

«Si ustedes aceptan X, nosotros aceptamos Y», «Siempre que ustedes acepten X, nosotros aceptaremos Y», «Con la condición de que ustedes hagan X, nosotros haremos Y», etc. En todas estas formulaciones, empezamos por la condición.

Obsérvese también la forma de presentar la propuesta de intercambio: tanto la condición como la oferta son concretas. «Si ustedes aceptan/hacen, entonces, y sólo entonces, nosotros aceptamos/hacemos algo.» Decimos a la otra parte lo que *ella* tiene que hacer para conseguir que nosotros hagamos algo a su favor. Si la otra parte dice «sí», tenemos un acuerdo; si dice «no» podemos modificar nuestra posición.

Puede que necesitemos un margen de maniobra. Nuestro opositor puede estar de acuerdo con una versión modificada de nuestra condición. En este caso, tenemos la posibilidad de modificar nuestra concesión. Por ejemplo, podemos decir: «Si ustedes aceptan unos equipos de seis hombres, nosotros aumentamos la prima de turno.»

Su mejor respuesta sería preguntarnos la cuantía de este aumento, lo que fijaría un límite inferior al precio de llegar a un acuerdo con nosotros. Podemos responder que, a condición de que se acepten los equipos de seis hombres, estaríamos dispuestos a pagar X pesetas por trabajo a turnos, eligiendo una cifra inferior a la de nuestro precio límite. La otra parte puede volver atrás y exigir más dinero o equipos de más personas. Pero hemos conservado la flexibilidad necesaria para cambiar nuestra posición, bien sobre el dinero, bien sobre el tamaño de los equipos, puesto que nuestra oferta inicial era condicional. Si la otra parte insiste en que los equipos sean de ocho hombres, podemos rebajar la prima de turno con toda razón porque nuestra oferta estaba condicionada a que los equipos fueran de seis. Si la otra parte sube su petición de dinero y tamaño de los equipos, nosotros podemos volver a elaborar nuestro paquete, bien con más hombres y el mismo dinero, bien con más dinero y los mismos hombres. Podemos incluso mover ambas variables.

Lo que no aceptaremos es un acuerdo sobre una variable sin la otra. Llegar primero a un acuerdo sobre el tamaño de los equipos y después sobre el dinero es arriesgarse a cometer un error costoso, suponiendo que éstas dos sean las únicas variables en litigio. La condicionalidad de la oferta obliga a la otra parte al intercambio, a dar algo para conseguir lo que quiere.

En la fase de la propuesta es habitual y más seguro presentar ofertas exploratorias: «consideraremos», «estudiaremos», «quizás», «posiblemente», etc. En la fase de intercambio, tenemos que afirmar nuestras propuestas y ser más positivos: «Si ustedes hacen X, nosotros haremos Y.»

A veces es útil procurar prolongar la fase de intercambio con expresiones tales como:

«Creo que tenemos todos los elementos para un acuerdo...»

«Hemos hecho importantes avances, aunque haya todavía cierto número de cuestiones que nos separan...»

«Dado el grado de acuerdo alcanzado, sería una pena que la negociación fracasara en los temas pendientes...»

8.4 Enlazar los problemas

La estrategia normal en una negociación es presentar una lista de peticiones, objeciones, requisitos, etc., seguida de la sugerencia «lógica» de tratarlos uno por uno.

No debemos dejarnos coger nunca en esta trampa cuando somos nosotros la parte que debe dar una respuesta a la lista. Es esencial mantener todos los temas enlazados hasta la fase de intercambio.

Si negociamos punto por punto, nos harán pedazos. Nuestro opositor estará encantado si aceptamos negociar cada punto individualmente. De esta forma puede estrujarnos. Para llegar a un acuerdo sobre un punto tendremos que hacer concesiones. Esto supone consumir nuestro capital de negociación, que se otorgará antes de haber llegado a un acuerdo sobre todos los temas pendientes. En este momento nos encontraremos ante un problema serio: no tendremos nada más que ofrecer y tampoco habremos llegado a un acuerdo.

Nos encontramos ante dos alternativas muy diferentes. O damos por perdida la esperanza de llegar a un acuerdo y sufrimos las consecuencias, cualquiera que sea su coste, o pedimos autorización para ampliar nuestras concesiones y recibimos las inevitables críticas de nuestros superiores. Los vendedores suelen recibir instrucciones sobre la forma de «negociar» las objeciones del cliente «superándolas». En la práctica esto supone hacer una concesión a cada objeción hasta que el comprador agota sus objeciones o el vendedor sus concesiones.

Si enlazamos los diferentes temas aceptando «considerarlo», «pensar sobre ello», etc., hasta haber oído todos los puntos que la otra parte quiere plantear, podemos tratarlos después dentro de nuestro paquete global: cualquier acuerdo sobre uno de ellos está condicionado al acuerdo sobre todos. La fase de elaboración del «paquete» nos habrá dado la oportunidad de separar el enlace de los temas; la fase de intercambio puede permitir, después, utilizar los temas enlazados para conseguir una distribución de nuestro «capital negociador» entre los diferentes temas conflictivos. Un movimiento aquí es compensado por otro movimiento allí. Una concesión en el punto A está enlazada con una pequeña concesión en el punto B y dos concesiones mayores en los puntos C y D.

De esta forma, el negociador no se ve cogido punto por punto. Cualquier concesión ofrecida en un punto determinado está condicionada al acuerdo sobre los puntos que quedan por negociar. Si en un punto posterior nos vemos obligados a conceder más de lo previsto, siempre podremos volver sobre el intercambio ofrecido en el punto anterior, que mantenemos enlazado con el actual, y exigir su rectificación si la otra parte nos obliga a ceder ahora. La negociación de todos los puntos está condicionada a un acuerdo sobre el conjunto del paquete. Cada una de las partes se reserva el derecho a revisar cualquier concesión anterior a la vista de las discusiones posteriores.

La ventaja de tratar de los temas como un todo está en mantenerlos enlazados. Si permitimos que un punto salga del paquete estaremos debilitando todo el conjunto del mismo. Siempre nos resultará más caro. Mantengamos enlazados los temas, conservándolos para el intercambio. Cuanto mayor sea el número de temas con los que podemos negociar en la fase de intercambio, más fuerte será nuestra posición.

Somos nosotros quienes debemos decidir mantener o no enlazados los temas, así como la forma de hacerlo si ello nos favorece. Hay veces en que es poco realista tratar de hacerlo.

El enlace de los temas ha de ser realista. Es en la fase de intercambio cuando debemos pensar en el enlace de los temas, si es realista y ventajoso

MANTENER LOS PROBLEMAS ENLAZADOS

Un club de golf quería introducir ciertas modificaciones en el recinto social para poder colocar unas máquinas electrónicas de juego. El único espacio disponible formaba parte de la tienda de artículos deportivos del preparador. Esta tienda no pagaba renta alguna pero tenía un contrato con el club, contrato al que le quedaban aún dos años de vigencia. El preparador, viendo la oportunidad de: *a)* conseguir una participación en los beneficios de las máquinas de juego, *b)* mejorar las condiciones actuales de su contrato, y *c)* renovar éste para un nuevo período, presentó una lista de peticiones.

Las peticiones eran: otro local para almacén, instalaciones para la venta en otras áreas de la casa, una mejora del acceso a las mismas, una mayor participación en el comité directivo, un nuevo contrato y una compensación anual de 500.000 pesetas, por la supuesta pérdida de ventas debida a la reducción de la superficie de la tienda.

Varios de estos puntos tenían un coste mínimo para el club, por lo que éste los concedió en seguida sin enlazarlos con las peticiones que no aceptaba. En particular, el preparador seguía exigiendo la compensación económica de medio millón de pesetas, que era totalmente inaceptable para el comité del club.

Tras varios intentos infructuosos de que el preparador cambiara de opinión, el comité hizo saber que abandonaba la idea de las máquinas de juego y volvía a las condiciones de la situación anterior con el preparador.

La actitud del preparador cambió. Éste vio que, habiendo conseguido dos de sus objetivos, *b)* y *c)*, podía renunciar al *a)*. La situación se invirtió: el preparador era entonces quien trataba de convencer al comité para que siguiera con el plan de las máquinas. El comité acabó por aceptar, pero, esta vez, enlazando todos los puntos. El comité pudo incluso recuperar su primer compromiso en el punto *c)* sin nuevas concesiones en el *a)*.

DINERO Y PUESTOS DE TRABAJO

Bajo su nueva jefatura, el Sindicato Nacional de Mineros ha tratado de vincular las demandas de mayores retribuciones con el tema, más emotivo, del cierre de las minas. Ha intentado movilizar a los mineros para que se resistan al programa de cierre de pozos del Consejo del Carbón, haciendo que coincidieran una votación para ir o no a la huelga y las negociaciones anuales de reivindicaciones salariales. Se pedía a los obreros que votaran «sí» a una huelga en defensa de la petición de aumentos salariales y a una huelga en protesta contra los cierres propuestos. Si votaban «sí» a una, estaban votando efectivamente «sí» a la otra. Los dirigentes sindicales creyeron que vinculando estos dos asuntos podrían conseguir una mayoría favorable a la huelga, mientras que no obtendrían una clara mayoría a favor de los aumentos salariales, de presentar esta opción por separado. De hecho, fallaron en el planteamiento ya que los obreros votaron en contra de la huelga (estaban más preocupados con los actuales niveles de retribución que con ir a la huelga). De aquí que después de tres rechazos de la moción pro-huelga (que de acuerdo con el reglamento sindical exige una votación), los dirigentes sindicales cambiaron su propósito e iniciaron la campaña salarial de 1983 con una prohibición de horas extra (que no requiere la previa votación) y ampliaron la prohibición a las huelgas efectivas sobre una base *local* (que tampoco requiere votación). De esta manera consiguieron que el 80 por ciento del sindicato saliera a la huelga.

LAS NEGOCIACIONES DE ZIMBABWE

En las negociaciones de Zimbabwe había tres temas centrales: la nueva Constitución, las disposiciones para la transición y el alto el fuego. El Frente Patriótico quería enlazar todos los temas porque de esta forma disponía de mayor margen de maniobra. El gobierno británico insistía en separar los problemas y en resolverlos de uno en uno. De esta forma pretendía evitar que el Frente Patriótico reservara sus concesiones en las cuestiones individuales como preludio a un acuerdo global. La opinión británica prevaleció y, lógicamente, obligó al Frente a hacer mayores concesiones en cada uno de los temas. Afortunadamente para el Frente Patriótico, sus concesiones en las negociaciones fueron recompensadas por una masiva victoria en las elecciones que se celebraron a continuación. Y, también, al verse obligados a negociar una Constitución de independencia más moderada, consiguieron aparecer menos extremistas que lo que su anterior imagen sugería a los ojos de los acreedores internacionales, lo que les ayudó en la consecución de préstamos y créditos para proporcionar un soporte estable a un gobierno marxista.

LAS NEGOCIACIONES SALT Y LOS DERECHOS HUMANOS

Al principio de su mandato presidencial, Carter intentó forzar al gobierno ruso a enlazar los problemas de los derechos humanos y la intervención militar en África con las negociaciones SALT. Los rusos se negaron a aceptarlo, y las negociaciones SALT II se paralizaron durante quince meses, hasta que los norteamericanos renunciaron a enlazar estos temas. Prefirieron avanzar en las negociaciones SALT a un empeoramiento de las relaciones con Rusia. Posteriormente, cuando los rusos intentaron enlazar las negociaciones SALT con el problema del acercamiento norteamericano a China, le tocó el turno a Estados Unidos. Los norteamericanos protestaron ante el intento ruso de obligarles a enfriar sus relaciones con China para poder avanzar en las negociaciones SALT.

para nosotros el que lo hagamos. En la mayoría de los casos así es. Vale más intentar enlazar los temas que renunciar de antemano a la flexibilidad que este enlace nos permite. En una negociación difícil necesitaremos todo el margen de maniobra que podamos conseguir.

8.5 **Lista de comprobación. El intercambio**

- Una norma absolutamente firme —ninguna excepción, en ningún caso:

  —*Todo ha de ser condicional.*

- Decidamos lo que vamos a exigir a cambio de nuestras concesiones.
- Hagamos una lista de nuestras exigencias y pongámosla por delante en la presentación.
- Señalemos lo que es posible si, y sólo si, la otra parte acepta nuestras condiciones.
- Si la señal obtiene una respuesta recíproca, presentemos nuestras propuestas, redefiniendo nuestras condiciones.
- Mantengamos enlazados todos los temas pendientes e intercambiemos un movimiento por otro sobre una nueva condición u otro sobre cualquier otra cosa.
- Debemos estar dispuestos a volver a poner sobre la mesa cualquier tema ya «acordado» si, ante la presión de nuestro opositor, necesitamos más margen de negociación en el punto actual.

- Máximas a recordar:

  —*Recordemos el gran «si».*
  —*Nunca demos algo por nada.*
  —*Presentemos primero nuestras condiciones.*
  —*Mantengamos los temas enlazados.*

Capítulo 9

EL CIERRE Y EL ACUERDO

9.1 **Introducción**

El negociador se enfrenta a dos tipos de tensión. La primera es la incertidumbre básica de la negociación: no saber realmente si hemos conseguido sacar a nuestro opositor todas las concesiones posibles. De ahí que retrasemos la decisión de aceptar lo que se nos ofrece en un momento por si podemos conseguir más. La segunda tensión nos empuja a llegar a un acuerdo antes de que nuestro oponente nos saque más a *nosotros*. Cuanto más dura la negociación, más tiempo tenemos para sacar todas las concesiones posibles a nuestro opositor, pero también tiene más tiempo éste para hacer lo mismo con nosotros.

No es raro encontrar negociadores incapaces de poner el punto final. Incapaces de cerrar el trato, siguen negociando, a veces haciendo concesiones aparentemente pequeñas pero que sumadas resultan tener un coste impresionante (aparte de que crean precedentes). Estas concesiones, además, eran evitables, lo que hace que la penalización sea doble. Y para evitarlas hay que utilizar las técnicas de cierre, algunas de las cuales van a ser analizadas en este capítulo.

Si cerramos con éxito una negociación, debemos llegar a la octava y última fase, el acuerdo. No hay otra salida. Un cierre sin éxito nos devuelve por lo general a la fase de discusión y a otro ciclo de intercambio.

Este capítulo trata del cierre y del acuerdo. El cierre aumentará nuestra confianza y nos llevará al acuerdo con mayor rapidez y menor coste que si esperamos a que nuestro opositor llegue a la conclusión de que ya nos ha sacado bastante.

9.2 El criterio de cierre

Para concluir una negociación no es necesario que ambas partes estén en sus respectivas posiciones límite. Esto significaría que estos límites coinciden en la línea de negociación, lo que no es nada frecuente. Normalmente existe una mayor o menor superposición. La posición que estamos dispuestos *in extremis* a aceptar está, por lo general, más próxima a la PMF de nuestro opositor que la posición que éste estaría dispuesto a aceptar bajo una presión similar. La incertidumbre surge de que ninguna de las partes está segura de cuál es realmente el límite de la otra. De ahí que estemos dispuestos a llegar a un acuerdo en un punto que esté dentro de nuestro límite y que pueda estar también a cierta distancia del suyo. En otro tema, nuestro opositor quizá esté llevando el punto de acuerdo hasta una posición cercana a nuestro límite.

La presión para aceptar un acuerdo puede ser mayor cuando estamos todavía por delante, próximos a nuestro límite en una cuestión y más próximos a nuestra PMF en otra. Cuantos más sean los temas en conflicto, mayor es la combinación de posibles distancias a nuestros PMF y a nuestros límites.

Todo ello hace que la decisión de cerrar la fase de intercambio sea una cuestión de criterios. Siempre es más fácil saber *cómo* cerrar que *cuándo* cerrar. Equivocarse en lo que respecta al momento de cerrar es menos serio que no saber cómo hacerlo. Si nos equivocamos respecto al momento de cerrar, nuestro opositor nos lo hará por lo menos saber, pero es poco probable que nos ayude a cerrar si le interesa que sigamos negociando.

Si estamos en nuestra posición límite, tendremos un gran interés en cerrar. Cualquier prórroga del intercambio provocará unas concesiones que exceden de nuestros límites. Si nuestro opositor está convencido de que no tenemos realmente más que ofrecer, decidirá llegar a un acuerdo o romper la negociación. Pero es evidente que no estaríamos negociando con eficacia (ni rentabilidad) si esperamos siempre a llegar a nuestro límite para cerrar, aunque, al cerrar, podamos tratar de dar la impresión de que estamos en nuestro límite y que ésa es la razón por la que cerramos.

Nuestro opositor no estará seguro de que realmente «ésta sea nuestra oferta final». Lo más probable es que cerremos cuando estamos en nuestro límite, pero esto no significa que, cuando cerramos, estamos realmente en nuestro límite. Es a la otra parte a quien corresponde verificar nuestra decisión de cerrar.

Así, pues, la credibilidad de nuestro cierre es la que determina la reacción de nuestro opositor.

El momento del cierre influye mucho en su credibilidad. También es una cuestión de criterio. Si intentamos cerrar excesivamente pronto, nuestro opositor interpretará este movimiento, en el mejor de los casos, como una nueva concesión en la fase de intercambio y, en el peor, como un acto

LAS OFERTAS «DEFINITIVAS»

Las negociaciones salariales en una pequeña fábrica de electrodomésticos estaban teniendo un desarrollo negativo. La parte sindical exigía unos incrementos salariales para los técnicos de mantenimiento que superaban ampliamente el presupuesto de la empresa.

El negociador de la empresa se sentía agobiado y las discusiones se eternizaban. En una situación de impaciencia y nerviosismo, la parte empresarial elaboró una nueva oferta y se apresuró a presentarla a los trabajadores. Con mucha alegría, anunció que la parte sindical tenía que aceptar el paquete porque éste representaba la «oferta definitiva *por el momento*».

No hace falta decir que la empresa tuvo que poner más dinero para llegar a un acuerdo.

Incluso el negociador más experimentado puede quedar atrapado si no se prepara cuidadosamente para cada fase. Aún más esencial es procurarse el tiempo necesario para preparar una respuesta cuando parece que el tiempo se está agotando.

provocador y hostil. Puede que no haya acabado aún su fase de intercambio y que nosotros tratemos repentinamente de cerrar. Si cree que, en ese momento, el intercambio de concesiones es asimétrico (ha dado más de lo que ha recibido y está esperando a tratar otros temas para conseguir algunas concesiones que equilibren el intercambio), se opondrá seguramente a abandonar el intercambio y a entrar en la fase de cierre.

Un intento de cierre prematuro puede suponer arriesgar la misma posibilidad de cerrar. Puede resultar costoso porque, si hemos utilizado ya una vez una «oferta definitiva» de cierre, es difícil utilizarla de nuevo con credibilidad si las negociaciones continúan y hacemos concesiones que superan a nuestra «oferta definitiva». La decisión de lo que constituye una oferta definitiva es una cuestión de política. Tendremos que tomar esta decisión a la vista del avance de las negociaciones. En efecto, estamos decidiendo si preferimos no llegar a un acuerdo o continuar haciendo concesiones para alcanzar un acuerdo posterior. El intercambio habrá provocado concesiones mutuas o la posibilidad de ellas. A la vista de las concesiones ofrecidas («si ustedes hacen X, nosotros haremos Y») y las ya acordadas con la condición de aceptar el paquete global, tendremos que decidir si nos interesa terminar con el intercambio y entrar en el cierre.

La finalidad del cierre es llegar a un acuerdo. Nunca insistiremos bastante en esta idea, ya que condiciona nuestra manera de cerrar. De hecho, estamos diciendo a nuestro opositor: «Ahora tiene usted que aceptar las cosas tal como están.» De ahí que tengamos que presentar esta alternativa de forma que quede clara nuestra determinación de no hacer más concesiones y que lo que interesa a la otra parte es llegar a un acuerdo en este momento.

Antes de pasar a considerar algunas de las técnicas de cierre más usuales y, por ello, de mayor éxito, vamos a describir algunas de las características que debiera contener un cierre.

Un cierre debe ser, como ya hemos señalado, creíble. Nuestro opositor debe creer lo que decimos. Si pone a prueba nuestra credibilidad hemos de ser capaces de dar fuerza a nuestro mensaje, firme pero no provocadoramente. Si la otra parte tiene experiencia de nuestro comportamiento en el paso del intercambio al cierre, nuestra credibilidad será mayor (salvo que falláramos el cierre en la última ocasión).

Para que sea aceptable, nuestro paquete de cierre debe satisfacer un número suficiente de las necesidades de la otra parte. Si ésta prefiere seguir resistiéndose a aceptar ciertos puntos, sea porque se opone decididamente a ellos o porque el «precio» es insuficiente, no habrá cierre: nuestro opositor prefiere que no haya trato a que el trato sea el que nosotros proponemos. Debemos considerar las condiciones que aceptaría para decidir

UN EJEMPLO DE LA NECESIDAD DE RECORDAR CONSTANTEMENTE LOS OBJETIVOS

Un fallo frecuente en las negociaciones es el que ocurre cuando el negociador inexperto llega a dejarse arrastrar por sus propios argumentos hasta el punto de verse cogido en el mismo debate, como les ocurre a algunos charlatanes, olvidando que el objeto de la negociación es alcanzar unos acuerdos previstos.

En una negociación salarial especialmente difícil, el equipo negociador de la empresa había decidido de antemano tratar de consolidar algunos elementos suplementarios del salario en el salario básico. Esta medida mejoraría sustancialmente la competitividad de la banda salarial de la empresa, el incremento de costes por tener que pagar las cargas sociales sobre una base más alta no sería alto y la medida contribuiría a que la propuesta en su conjunto fuera más atractiva.

El plan táctico consistía en oponerse a esta concesión en las primeras fases para poder utilizarla en la fase de «cierre» como parte del paquete final encaminado a obtener un acuerdo. El negociador en cuestión, sin embargo, creyó que sus argumentos en contra de la consolidación eran tan convincentes que debía abandonar el plan inicial y «ganar» este punto.

Se llegó a un acuerdo y, por lo tanto, fue un «triunfo», pero los niveles salariales de la empresa resultaron tan poco competitivos que hacían imposible la contratación de nuevo personal.

Los triunfos a corto plazo no previstos rara vez merecen la pena.

si hacemos un pequeño movimiento que nos asegure el cierre o no lo hacemos.

Debemos presentar el cierre de tal forma que la no aceptación del mismo, en términos más o menos similares a los ofrecidos, debe llevarnos a preferir un «no acuerdo». Esta es la conclusión de las dos condiciones previas, la credibilidad y la aceptabilidad, y supone también una condición cautelar para nosotros mismos. Si no estamos decididos a aceptar el «no acuerdo», porque tenemos todavía un amplio margen, porque estamos dispuestos a hacer más concesiones en *esta* negociación, dadas las circunstancias, y porque sólo estamos, de hecho, «haciendo una prueba», plantear el cierre es peligroso. La otra parte descubrirá casi siempre nuestro *bluff,* con lo que quedará debilitada nuestra posición negociadora aunque sólo sea porque, no habiendo podido cerrar una vez, nos va a resultar muy difícil cerrar posteriormente. Dicho de otra forma, tendremos que pagar una penalización por nuestra «prueba» y hacer nuevas concesiones.

9.3 El cierre con concesión

El cierre con concesión es la forma de cierre más frecuente en las negociaciones. Equivale a terminar la fase de intercambio ofreciendo una concesión para conseguir un acuerdo. Las fases de elaboración del paquete y de intercambio suelen revelar las áreas más adecuadas para utilizar un cierre con concesión. Las posibilidades son:

1. La concesión de un elemento importante de las peticiones de nuestro opositor.
2. Ceder en uno de los grandes obstáculos de la negociación.
3. Ceder en un punto de menor importancia.
4. Presentar una nueva concesión, no exigida anteriormente pero atractiva para nuestro opositor.

Somos nosotros quienes tenemos que decidir sobre la magnitud de nuestras concesiones finales. Una concesión grande puede no cerrar el intercambio si nuestro opositor supone que apretándonos, obtendrá aún más. Si la concesión es pequeña, puede ser insuficiente para animar al acuerdo.

Es mejor hacer el cierre con una concesión pequeña que con una concesión sobre un punto importante, especialmente si ésta afecta a un principio también importante.

Ya hemos subrayado la importancia de no desprenderse de los puntos que consideramos de menor importancia en las primeras fases de la negociación. Puede que, en el momento del cierre, estemos buscando desespe-

LA CONCESIÓN DE UN NUEVO ELEMENTO

Un importador de fruta telefoneó a una empresa de comercialización de alimentos para ofrecerles una carga de manzanas. El precio era alto y el comerciante rechazó la oferta.

El importador, que quería vender, volvió con una nueva propuesta: «Si me pagan ustedes a los siete días fecha factura, puedo bajar el precio a X pesetas la tonelada.» El comerciante aceptó y se firmó el acuerdo al nuevo precio.

El comerciante comentó posteriormente (a un observador) que tanto él como el vendedor sabían que el pago no sería en esta ocasión más rápido que lo normal pero que ambas partes salvaban su honor porque el vendedor podía así bajar el precio sin perder su posición.

El comprador tenía un precio mejor que el inicial, un precio que resultaba rentable todavía al vendedor. Éste había evitado, por otro lado, sentar un precedente. En la siguiente operación podría decir que no hacía descuento alguno al comerciante ya que éste, en la operación última, no pagó a los siete días.

radamente el tipo de concesiones menores de las que nos desprendimos al principio.

Pero puede que la negociación se paralice en problemas importantes. Si nos vemos obligados a estudiar una posible concesión en estos puntos, queremos limitar esta concesión al mínimo posible. De hecho, si abrimos la puerta en estos puntos en el momento del cierre del intercambio, podemos encontrarnos con el resultado opuesto al que buscamos: la negociación, en lugar de cerrarse, continúa al animarse nuestro opositor con la concesión que cree haber conseguido.

Para limitar una concesión en un área importante podemos presentarla de forma que evitemos, por el momento, una mayor elaboración de la misma, dejando para una fecha posterior la negociación sobre esta concesión. Por ejemplo, podríamos utilizar la siguiente formulación:

> «Si ustedes están dispuestos a aceptar este paquete en su forma actual, aceptamos negociar más adelante el principio general de las indemnizaciones por despido.»

Este tipo de cierre fue el utilizado en la huelga inglesa del metal de 1979. El sindicato fue a la huelga para conseguir una subida de salarios y una reducción de la semana laboral de 40 a 35 horas. Las empresas se oponían totalmente a esta última petición y estaban dispuestas únicamente a hacer concesiones en el tema del dinero (aunque sin llegar al nivel exigido por el sindicato). El acuerdo final no introducía mayores concesiones en la oferta salarial de los empresarios, pero sí un compromiso de reducción de las horas semanales en una hora (de 40 a 39) a partir de noviembre de 1981. La concesión era modesta en cantidad pero de gran importancia en el terreno de los principios. Una vez roto el muro, el sindicato estaba dispuesto, en las circunstancias de la huelga, a volver al trabajo como respuesta a la concesión de cierre.

Este cierre con concesión era el pequeño avance que aseguraba el acuerdo.

Si nos encontramos entre la espada y la pared y no podemos proteger nuestros intereses haciendo una concesión final sobre uno de los puntos discutidos, podemos estudiar una concesión sobre un punto no suscitado en la negociación. La elección de tal concesión apropiada exige cierto esfuerzo de imaginación. Una solución es considerar temas planteados por nuestro opositor en el pasado a los que nos habíamos opuesto por una u otra razón. Traer estos puntos a la mesa en este momento y utilizarlos a nuestro favor puede significar la posibilidad de un cierre aceptable para la otra parte. Habrá que valorar la importancia estratégica de esta nueva concesión. Si la elección de la concesión es correcta, podemos llegar a un acuerdo cuando la negociación se encontraba en un punto muerto o cuando nos enfrentábamos con una concesión en un área que considerábamos desfavorable por el momento.

Al presentar unos elementos nuevos en la mesa podemos romper con el punto muerto. Si la concesión es suficientemente atractiva para nuestro opositor, éste aceptará la oferta; de ahí que la elección de la concesión deba ser estudiada cuidadosamente. Si el tema ha estado mucho tiempo sobre la mesa es muy probable que la otra parte esté deseando conseguir una concesión en un área cerrada anteriormente. Esta solución tiene además la ventaja de reducir la tensión provocada en la discusión de los temas aún pendientes. Hay veces en que el solo hecho de un movimiento —cualquier movimiento— basta para conseguir el cierre.

9.4 El cierre con resumen

Otro tipo de cierre, probablemente el más frecuente después del cierre con concesión, es el cierre con resumen. Se trata de terminar la fase de intercambio haciendo un resumen de todos los acuerdos alcanzados hasta el momento, destacando las concesiones que la oposición ha conseguido de nuestra parte y subrayando lo ventajoso de llegar a un acuerdo sobre los puntos pendientes.

Se trata de hacer una lista de las concesiones de cada parte y de las ventajas de un acuerdo: «Hemos recorrido un largo camino y sería una pena que, después de todos los sacrificios que hemos hecho unos y otros, fracasemos ahora, cuando podemos llegar con honor a un acuerdo sobre los temas pendientes.» Este tipo de declaración a veces precede y otras veces sigue al resumen del posible acuerdo.

Si la otra parte acepta nuestro resumen responderá que sí. Puede que responda «sí, pero» y dé la vuelta a algunos de los puntos que considera pendientes. En este caso tenemos dos opciones como mínimo. Podemos pasar a un cierre con concesión («¿Quiere usted decir que si cedemos en este punto aceptará el acuerdo?») o a una declaración formal de que ésta es nuestra oferta última. «Señores, hemos resumido los acuerdos alcanzados. Deben convencerse de que ya hemos cedido todo lo que podíamos ceder en estos puntos. Nuestro cesto está vacío y prolongar la negociación en la creencia de que hay más es una pérdida de tiempo para ambas partes. Esta es nuestra última posición y ahora les pedimos que acepten lo que les ofrecemos —sin olvidar las importantes concesiones que han obtenido ya de nosotros— y firmen el acuerdo.» Si la otra parte admite que éste es el fin del camino y quiere un acuerdo, aceptará la propuesta. Si no la acepta, es a nosotros a quienes corresponde demostrar que nos atenemos a nuestra palabra.

9.5 **Otros cierres**

El cierre con concesión y el cierre con resumen son los más utilizados en las negociaciones. Pero existen otros muchos, utilizados con menos frecuencia. El orden en que presentamos los tipos de cierre no es un orden de importancia, como tampoco hemos dicho que los cierres con concesión y con resumen deban ser utilizados en un orden determinado. Es perfectamente posible utilizar el cierre con concesión antes o después del cierre con resumen. Lo que hay que recordar es que el cierre con concesión está condicionado a la obtención de un acuerdo inmediato. El cierre con resumen puede ser utilizado con menos rigidez.

Si un cierre con resumen no ha inducido a la otra parte a un acuerdo inmediato, podemos combinarlo con un *cierre con descanso*. Lo que decimos, en efecto, es: «Hemos resumido las ventajas que obtienen ustedes al aceptar lo que se les ofrece; les hemos informado de que ésta es nuestra oferta definitiva y les sugerimos que hagamos un descanso para que estudien nuestra oferta. Volveremos a reunirnos cuando tengan preparada una respuesta.»

A veces hay que utilizar el cierre con descanso para dar tiempo a nuestro opositor a considerar nuestra oferta y también las alternativas a un desacuerdo. Si nuestro opositor necesita este tiempo y nosotros consideramos que no nos perjudica, debemos concedérselo.

El *cierre con ultimátum* es más duro que el cierre con descanso. O la otra parte acepta lo que se le ofrece «o de lo contrario...». Es muy posible que se haya pensado ya en esta posibilidad. Si nuestra amenaza no tiene base puede volverse en contra nuestra. En su forma más cruda, este cierre equivale a un ultimátum. Este cierre puede cambiarse ligeramente combinándolo con el cierre con descanso. Pero el descanso puede sernos perjudicial si permite a la otra parte preparar una respuesta amenazadora y presentárnosla en la siguiente reunión. Por otro lado, cuanto mayor sea la audiencia del cierre con ultimátum, más difícil resultará para la parte que lo recibe retroceder sin una pérdida de prestigio. Si hacemos un descanso, la noticia llegará a los representados por nuestro opositor (en el caso de un sindicato). Se trata de un cierre muy arriesgado y conviene pensarlo muy bien antes de utilizarlo. Lo corriente es que lo utilicen los negociadores en el calor del momento. En estos casos el efecto producido es el esperado: aumentar la hostilidad hasta niveles de ruptura. A diferencia del cierre con concesión, el cierre con ultimátum lleva asociado un alto grado de carga pasional.

Otro tipo de cierre, utilizado a veces cuando el negociador está al límite de sus posibilidades, es el *cierre disyuntivo*. Se trata en este caso de presentar a la oposición la elección de dos soluciones, ambas dentro de los límites presupuestarios de la parte que cierra. Tiene la ventaja de dar a la otra parte cierta libertad de elección. Ésta puede dividir lo que se le ofrece de la forma que más le convenga, lo que no puede hacer es ampliar esta oferta (aunque sí es posible que pueda pedir un reajuste pequeño de algún punto, dando así la ocasión de hacer un cierre con concesión).

El cierre disyuntivo puede ir acompañado de un cierre con descanso, el cual servirá a la otra parte para estudiar la alternativa. Su mejor aplicación es la del caso en que hemos presentado nuestra oferta pero no conseguimos que sea aceptada porque la otra parte quiere otro tipo de distribución o, lo que es más probable, más concesiones en otros puntos, además de las que ya hemos hecho. Entonces les damos a elegir: «Pueden ustedes tener más de esto y menos de lo otro, o viceversa. Ustedes deciden; pero lo que no pueden conseguir es ambas cosas. Nosotros hemos llegado al límite y estamos dispuestos a aceptar cualquiera de las dos soluciones.»

9.6 **El acuerdo**

El propósito de la fase de cierre es conseguir un acuerdo sobre lo que se ofrece. El acuerdo es la última fase de la negociación, a la que han ido dirigidas todas las demás. Negociamos para llegar a un acuerdo, aunque hay negociaciones en las que cabe preguntarse si las partes quieren realmente llegar a él.

El acuerdo es, sin embargo, un momento muy peligroso. El alivio que

LOS ACUERDOS ESCRITOS REDUCEN LOS RIESGOS

Una compañía cinematográfica acudió al autor de una obra de éxito, que se representaba en el West End londinense, y a su representante con el fin de adquirir los derechos cinematográficos de la obra. Las partes se reunieron para discutir la propuesta y llegaron a un «entendimiento». El autor y su representante tenían interés por vender los derechos siempre que se superasen algunas dificultades acerca de ciertas obligaciones contractuales que tenían contraídas y siempre que el contrato incluyese los puntos que habían planteado en las discusiones.

En aquel momento cada parte, de buena fe, tenía una idea diferente sobre qué se había acordado. Pudo comprobarse en las semanas siguientes, cuando la productora cinematográfica anunció que el autor les había vendido los derechos cinematográficos y el autor declaraba que la venta estaba «pendiente de la firma del contrato». Como las partes no llegaron a un acuerdo sobre lo ocurrido, el caso llegó a los tribunales a instancia de la productora que alegaba ruptura de contrato verbal. La defensa del autor alegaba que no existía contrato y que éste no se firmaría porque no creía que la otra parte pudiera cumplir sus condiciones.

El resultado fue una batalla judicial larga y complicada, unida a la tensión personal del caso, que amenazó con afectar al trabajo creativo del autor. Al final éste ganó el pleito.

Todo el problema se hubiera evitado: *a)* si las partes hubieran sido conscientes de que estaban realizando una negociación y no hubieran cerrado ésta hasta haber firmado un contrato escrito; *b)* si el autor hubiera enviado a la productora al día siguiente un resumen escrito de la primera discusión exponiendo las condiciones que tendrían que cumplirse *antes* de redactar un contrato; *c)* si se hubiera llegado a un acuerdo en cada fase de la discusión. Estas medidas son innecesarias en nueve de cada diez casos, pero, como no sabemos si nuestro caso puede ser precisamente el décimo, el de los problemas, más vale prevenirse haciéndolo siempre de esta forma.

supone el llegar a un acuerdo, cuando desaparecen las tensiones de las fases anteriores, provoca un alto nivel de euforia. Y esta euforia puede ser un somnífero y hacer bajar la guardia a los negociadores.

Cuando estamos muy interesados en llegar a un acuerdo y aliviados por haberlo conseguido, podemos descuidar los detalles menores de lo acordado. Este descuido puede ser causa de interminables problemas posteriores, cuando llega la ejecución del acuerdo y cada una de las partes tiene su propia versión del acuerdo alcanzado quizás hace bastante tiempo. Entonces es cuando surgen las acusaciones de «trampa», «engaño», «trucos», «juego sucio», etc. Este tipo de sentimientos provoca una tensión emocional que tarda mucho en desaparecer. Y lo peor es que es muy probable que ambas partes estén sinceramente equivocadas respecto al contenido real del acuerdo. Es fácil creer que se había acordado algo cuando en realidad no es así.

La mejor forma de evitar estas molestias es cerciorarse antes de separarse de que ambas partes tienen perfectamente claros los puntos sobre los que están de acuerdo. Aunque suele ser más fácil decirlo que hacerlo, podemos sugerir las siguientes medidas.

Los negociadores deben leer y aprobar un resumen detallado de cada uno de los puntos negociados. En las negociaciones más formales, cada parte suele disponer de un borrador de trabajo. Si en el curso de la negociación se redactan cláusulas aclaratorias o definiciones de «significados habituales», que suelen incluirse en un apéndice al acuerdo principal, conviene que los mismos sean aprobados por ambas partes, porque su finalidad es precisamente facilitar la ejecución del acuerdo. Por ejemplo, el texto principal puede utilizar el término «razonable» («el proveedor se obliga a notificar con una antelación razonable las fechas de entrega») y ambas partes han llegado a un entendimiento sobre lo que cada una entiende por «razonable». Si es posible ponerlo por escrito en un apéndice, conviene hacerlo, y conviene también ponerse de acuerdo sobre la redacción a utilizar.

Si la negociación no es tan formal y el resumen del acuerdo ha sido oral, puede ser conveniente enviar a la otra parte una versión escrita del resumen inmediatamente después de la reunión.

Pero la regla de oro debe ser: *resumir lo acordado y conseguir que la otra parte acepte que el resumen coincide con lo acordado.*

Si la otra parte no está de acuerdo con un punto de nuestro resumen, o nosotros con uno del suyo, hay que buscar un acuerdo sobre ese punto. Las negociaciones más complejas son las que dejan más margen a la confusión y a los fallos de memoria (¡atención al truco del «lapsus» con el que nuestro opositor trata de introducir subrepticiamente una o dos concesiones nuestras o retirar alguna de las suyas!).

Si lo hacemos bien, no nos veremos envueltos posteriormente en un conflicto de interpretación. No cabe escudarse en que uno está «agotado» o «harto» para no concretar y amarrar el acuerdo. El trabajo del negociador no acaba hasta que termina la fase de acuerdo. Cualquier otra actitud es un descuido cuyas consecuencias pagaremos más tarde.

9.7 **Lista de comprobación. El cierre y el acuerdo**

- Decidamos el momento de dejar de hacer concesiones.
- ¿Es increíble? ¿Es demasiado pronto para nuestro opositor?
- ¿Cuál es el cierre más apropiado?

- ¿Qué nos ha contestado cuando le hemos preguntado si una concesión nuestra en un punto determinado le inclinaría a aceptar el acuerdo? (Si contesta «no», tenemos que hacer que presente todas sus objeciones antes de hacer ninguna otra concesión.) Si nos ha contestado «sí», debemos proceder a un cierre con concesión.
- Pensemos qué es mejor: si empezar con el cierre con resumen y probar después el cierre con concesión, o viceversa.
- ¿Qué otro cierre podríamos utilizar?
- Si proponemos una «oferta definitiva», ¿va en serio o sólo es un *bluff*? Recordemos que una oferta definitiva es más creíble cuanto más formal es, más autenticidad tiene la persona que la hace, más concretos son sus términos y más específico el plazo de respuesta. Las ofertas falsamente definitivas pueden destruir nuestra credibilidad en una negociación y en las siguientes.
- Recordemos que los cierres con pausa y con ultimátum son más arriesgados que los cierres con concesión y con resumen (y que el cierre *disyuntivo)*.
- Si el cierre ha tenido éxito: ¿qué es lo acordado?
- Hagamos una lista detallada de los acuerdos.
- Hagamos una lista de los puntos de explicación, aclaración, interpretación y entendimiento.
- Tratemos de impedir que nuestro opositor abandone la mesa antes de que se haya redactado un resumen del acuerdo.
- Si aparece un desacuerdo sobre un punto presuntamente aceptado hay que reanudar la negociación hasta llegar de nuevo a un acuerdo.
- Si el acuerdo ha sido oral, enviemos tan pronto como sea posible una nota escrita a nuestro interlocutor indicando lo que creemos que hemos acordado.

Capítulo 10

USOS Y PRÁCTICAS

10.1 **Introducción**

El método de las ocho fases presentado en este libro tiene su origen, en buena parte, en el estudio y análisis de negociaciones entre empresas y representantes sindicales pertenecientes al sector industrial, así como en numerosos cursos de formación para la negociación. Los negociadores analizaban lo que había ido bien (y por qué) y lo que había fallado (y por qué) en sus propias negociaciones. No pasó mucho tiempo antes de que empezáramos a aplicar el método de las ocho fases a un campo más amplio de negociaciones, al principio informalmente, estudiando lo que se publicaba en la prensa sobre negociaciones, tanto diplomáticas como comerciales.

Llegó un momento en el que comenzamos a comprender que podíamos utilizar el método de las ocho fases para analizar la mayoría de las negociaciones a las que lo aplicábamos. El método era aplicable con independencia del lado en el que nos situáramos: comprador, vendedor, contable, diplomático, secuestrador, marido, mujer o niño.

Las diferencias existentes entre la negociación laboral y la comercial eran evidentes, ciertamente, incluso a nivel anecdótico, y cualquier observación atenta de estos dos medios confirma sistemáticamente la relativa importancia de estas diferencias, aunque sólo sea por las alteraciones que producen en el comportamiento de los participantes.

En este capítulo vamos a examinar algunas de estas diferencias (y de las similitudes). Vamos a utilizar el esquema de las ocho fases para ilustrar la influencia del entorno en el que se desarrolla la negociación.

10.2 El medio comercial

Entendemos que son negociaciones comerciales todas aquellas que no se desarrollan en un clima de enfrentamiento entre capital y trabajo y en las que dominan los valores monetarios. Excluimos las negociaciones a nivel internacional entre gobiernos sobre temas diplomáticos o políticos (aunque es frecuente que el aspecto comercial ocupe un lugar importante en estos tipos de negociación), así como todas las negociaciones a nivel nacional de las que se excluyen las transacciones monetarias.

Hay varios tipos de negociación comercial: bilateral (entre comprador y vendedor), trilateral (cuando hay más de un competidor) y multilateral (negociación colectiva entre participantes de nivel similar).

Las negociaciones bilaterales surgen cuando dos partes tratan de llegar a unas condiciones aceptables de intercambio. Ninguna de las partes está obligada a comerciar con la otra. La empresa está obligada en última instancia a llegar a un acuerdo con sus trabajadores; un consumidor no está obligado a comprar un producto determinado de cierto fabricante (puede comprar este mismo producto a otro fabricante o comprar algo totalmente diferente). En estas circunstancias, las partes tienen que tener un incentivo para comerciar entre sí. Si los incentivos existentes son insuficientes, pueden acordar estar en desacuerdo y separarse: aquí termina la relación.

La continuidad de la relación es siempre relativa. Depende en buena parte de la correlación de dimensiones: IBM y el gobierno norteamericano; Rusia y China; dos hombres en un bote salvavidas. En estos casos las partes podrían acordar estar en desacuerdo, pero su conducta resulta modificada por el conocimiento de que seguramente se verán obligadas a llegar a un acuerdo en el futuro.

Son negociaciones bilaterales «conflictivas» aquellas que surgen de un conflicto aparecido en el curso de unas relaciones existentes entre las partes: incumplimiento de plazos, rendimiento deficiente, fallo de algunos componentes, petición de indemnizaciones, etc. Aunque las relaciones entre las partes se rompan, el conflicto subsiste hasta que se produzca un acuerdo (judicial o extrajudicial).

Son negociaciones trilaterales «competitivas» aquellas que surgen cuando dos o más partes compiten entre sí tratando de comerciar con un tercero. Este caso es muy común en la vida comercial (y casi desconocido en las relaciones laborales). El vendedor no sabe lo que está haciendo la competencia, y ha de modificar su posición para tratar de anticiparse a aquélla. Sin embargo, en la medida en que cada uno de los vendedores negocia por separado con el comprador, cada negociación es una forma de negociación bilateral.

Son negociaciones colectivas multilaterales las que surgen cuando varias partes, todas ellas en relación permanente entre sí, con intereses comunes pero también con intereses divergentes, negocian cuestiones que afectan a todas ellas. Es el caso de los departamentos de una empresa o de un organismo público, el de los miembros de una asociación internacional (CEE) o de una alianza militar (OTAN).

10.3 **Las prácticas comerciales**

Si alguien quiere conseguir una cosa que nosotros tenemos, debe pagar un «precio». La función de un negociador comercial consiste en asegurar ese precio. La información, la clientela, un pedido, la continuidad de suministros, una cita o cualquier otra cosa, todo tiene su precio. ¿Cuánto puede pagar una potencia extranjera por una información secreta? ¿Qué valor tiene una visita naval de buena voluntad? ¿Qué precio tiene para un buceador el suministro continuo de aire? ¿Cuánto vale una audiencia Papal?

En los tratos comerciales, el vendedor tiene una gran tendencia a «dar» sin recibir nada a cambio. Si le preguntáramos por qué lo hace nos contestará en general que lo hace por ganar un «nombre comercial». Pero ésta puede no ser más que una razón conveniente para justificar un deficiente comportamiento como negociador: el nombre comercial es algo tan intangible como los buenos deseos.

Todos los vendedores tienen cierto «temor» o respeto hacia el comprador. Éste tiene la posibilidad de hacer o no hacer un pedido. La consecuencia es una actitud servil del vendedor, actitud que debilita su posición. Los compradores suelen contar, en privado, anécdotas sobre la forma en que convencieron a los vendedores, pero hay razones para sospechar que los vendedores les facilitan el trabajo con sus actitudes. Los compradores tienden a aumentar el «temor» normal de los vendedores con actitudes preparadas de aparente indiferencia. Pero es muy probable que el comprador necesite lo que el vendedor trata de venderle tanto o más que lo que éste necesita la venta, sobre todo si el producto tiene algunas características exclusivas que el comprador desea.

Con frecuencia, los vendedores están lejos de los centros de decisión de sus empresas. Los directores de venta suelen ofrecer cierta resistencia a delegar facultades de negociación en sus vendedores porque temen que éstos renuncien a cualquier cosa con tal de conseguir el pedido (temor que está justificado en buena medida por la conducta de muchos vendedores). El resultado es que el vendedor dispone de muy escaso margen de maniobra y tiene que consultar a la «oficina» incluso sobre aspectos de poca importancia, lo que provoca una cierta frustración (y también cierto desprecio) en el comprador.

Normalmente, la negociación tiene lugar en la última fase de la venta, cuando el comprador está ya interesado pero exige alguna nueva concesión. El vendedor que ha visto ya la «pieza», es decir, el pedido, está decidido a vencer las objeciones del comprador haciendo nuevas concesiones. La visión de la pluma del comprador a punto de firmar el pedido provoca concesiones importantes precisamente porque el vendedor ve «por fin» la posibilidad de la venta. (Los compradores soviéticos tienen una habilidad especial para conseguir concesiones «de último momento» justo antes de firmar el contrato.) Esto se debe a que el vendedor no comprende que está llevando una negociación, no una venta. Es frecuente que haya hecho casi todas sus concesiones al hacer la presentación y encontrarse ante el silencio pétreo del comprador. El comprador tampoco suele ser consciente de que está negociando. Él puede haber decidido ya mentalmente aceptar un nuevo pedido en las condiciones anteriores y estará deseando que el vendedor «acabe».

Las negociaciones comerciales suelen ser mucho más suaves que las laborales. Lo normal es que en ellas reine la diplomacia, la amistad y la comprensión. Existe una creencia general, probablemente cierta en la mayoría de los casos, de que los compradores «compran a quienes les caen bien» y que los vendedores ofrecen mejores condiciones a «los que les caen bien». El peligro está en utilizar este trato como excusa para unas condiciones de venta peores que las necesarias.

Los negociadores sin experiencia suelen resistirse a dar información sobre temas tan delicados como el beneficio, el costo global, el pronto pago, etc. La razón es que creen que la otra parte puede usar esta información en su provecho. Esto puede ser cierto en algunos casos, pero este tipo de información puede llevar a la otra parte a revisar sus expectativas.

A la hora de decidir si damos una información debemos considerar, desde luego, si esta información revela nuestros puntos débiles o puede llevar a la otra parte a revisar sus exigencias, ya que ésta no tiene ningún interés en «matar a la gallina de los huevos de oro».

Los períodos de consulta y descanso no son tan frecuentes en las negociaciones comerciales como lo son en las laborales, en el sentido de que estas pausas no son tan frecuentes *durante* las sesiones de negociación (los negociadores sindicales suelen interrumpir una reunión varias veces a fin de estudiar la propuesta o la falta de propuesta de la empresa). Las interrupciones de una negociación comercial suelen corresponder, generalmente, a interrupciones «naturales», reanudándose la negociación al cabo de algunos días. Este sistema tiene ventajas y desventajas. Proporciona tiempo para revisar las propuestas y prepararse. El inconveniente es que puede dejar abierta la puerta a un competidor (comprador o vendedor, según el caso).

De ahí que los negociadores comerciales deberían quizás cultivar la idea de unas pausas breves para «considerar seriamente las propuestas o la información» presentadas durante la sesión.

El ambiente de colaboración de una negociación comercial permite una gama más amplia de señales. En todo caso la regla es la misma: *escuchar*.

Muchas negociaciones comerciales no se desarrollan cara a cara, lo que resulta menos satisfactorio para el ejercicio de la capacidad negociadora. El teléfono limita la captación de señales e impone una rígida limitación de tiempo. Los escritos llevan a una reafirmación de posiciones e impiden la flexibilidad. La negociación a través de una tercera persona provoca errores de interpretación debido a la necesidad de preparar adecuadamente al intermediario para que pueda manejar todos los aspectos previstos de la posición de la parte opuesta. El enfrentamiento cara a cara con la otra parte es, con mucho, la mejor forma de negociar: los errores de interpretación pueden ser corregidos de inmediato y pueden hacerse los ajustes necesarios para resolver las contingencias a medida que éstas van surgiendo.

Los intermediarios de nivel internacional, como el Dr. Henry Kissinger, actúan menos en el comercio, aunque actualmente la mayoría de los países árabes insisten en utilizar sus propios intermediarios y mantener a distancia a los comerciantes extranjeros. Este trabajo está resultando muy rentable para muchos intermediarios de Oriente Medio, que pueden sacar partido de ambas partes negociadoras.

10.4 **La negociación en el medio comercial**

La preparación de una negociación comercial no es menos importante que la de otro tipo de negociación. Por fortuna, muchas empresas dedican recursos a esta preparación como cosa normal. ¿Qué es, si no, un departamento de márketing? El conocimiento del propio producto y de las necesidades del cliente que aquél pretende satisfacer es un aspecto elemental de la preparación de un negociador comercial. Cuanto mayor sea la complejidad del producto, más intensa ha de ser la preparación, más amplio el mercado y mayor el volumen de información a tener en cuenta.

Un negociador comercial de cierta empresa fabricante de ordenadores explicaba su éxito (había ganado en un año más que el director general de la empresa) porque se preparaba intensamente todas las tardes y todos los fines de semana, hasta el punto de que su mujer le «examinaba» acerca de las especificaciones del producto y de las necesidades de sus clientes. Este hombre estudiaba hasta la saciedad; sólo después iba a negociar con el posible cliente. Tal era su dominio de las posibilidades del producto y de las necesidades del cliente que su interlocutor se veía obligado a fiarse del criterio de aquél en más de un tema.

Es claro que este nivel de preparación es poco frecuente, pero siempre resulta rentable. El estudio de los informes y encuestas de mercado es una forma de conocer el problema con el que nos enfrentamos. También nos ofrecen información sobre la dirección en la que debemos conducir nuestro trabajo. Y ponen a prueba el realismo de nuestros objetivos de negociación al indicar tendencias y posibles cuotas de mercado.

El conocimiento de lo que ocurre en el mercado supone la mitad de la preparación: saber lo que nuestra empresa puede en realidad hacer en el mercado es la otra mitad. Acomodar las características del producto a las necesidades del cliente constituye una tarea esencial en el desarrollo de una estrategia de negociación: para convencer al cliente de que nuestro producto se ajusta a sus necesidades tendremos que empezar por convencernos nosotros mismos.

Existe un amplio volumen de información sobre cualquier mercado que puede obtenerse con poco tiempo, trabajo y dinero. Buena parte de esta información puede llegar a nuestra mesa diariamente. Podemos señalar las siguientes fuentes:

— Los periódicos diarios.
— Las revistas comerciales.
— Las publicaciones profesionales.
— Las publicaciones oficiales, tanto sobre los mercados nacionales como sobre los de exportación.
— Los informes elaborados por los principales bancos, por ejemplo, los informes publicados por los «servicios de estudios» de algunos de ellos.
— Los informes vendidos por empresas privadas de estudios.
— Los informes de la bolsa de valores.
— Los servicios de análisis de las empresas.
— Los informes de las asociaciones de empresas.
— Los servicios consulares en el país y en el extranjero.
— Los informes de las cámaras de comercio.
— Los informes de las agencias internacionales.
— Los «rumores», es decir, las conversaciones informales con compañeros y competidores.

Si vamos a negociar con extranjeros merecerá ciertamente la pena acudir a la biblioteca a consultar la historia del país y sus características político-económicas. (Nos apresuramos a recomendar que no sea para entablar discusiones políticas, sino para adquirir más conocimientos sobre las influencias que pueden determinar sus puntos de vista.)

La fase de discusión tiende a ser, en las negociaciones comerciales, más suave que en las negociaciones laborales o internacionales, al menos cuando se refieren a una parte que presenta su oferta a un posible comprador. Pero recordemos que las relaciones comerciales suelen romperse por todo tipo de motivos y que el cliente puede entrar en una negociación con una impresión enraizada de que la otra parte le ha fallado o ha incumplido alguna de las obligaciones del contrato. En estos casos las negociaciones quizá no resulten violentas pero, ciertamente, son muy frías.

No hay duda de que desviar la discusión de la reclamación hacia las soluciones propuestas o posibles es una forma muy eficaz de enfrentarse con una oposición hostil en la fase de apertura. El tiempo perdido por el incumplimiento de un plazo de entrega o la producción perdida por un fallo de calidad exige normalmente que alguien pague una compensación de una u otra forma. Esta es una cuestión negociable. Un objetivo evidente es limitar el perjuicio financiero para nuestra empresa; la estructura G.P.T. nos ayudará a clasificar las diferentes combinaciones de soluciones financieras que podamos elaborar.

Un aspecto absolutamente crucial es atender a la aparición de señales. Del «no vuelva a pisar mi despacho» al «vamos a dejar atrás esta experiencia y mirar al futuro» puede no haber más que un pequeño paso. Pero tendremos que esperar a oír el paso de una forma de hablar «absoluta» a otra «relativa»: del «no les compraremos nunca más» al «¿qué garantías tenemos de que no vuelva a ocurrir este desastre?»

Una negociación comercial puede comenzar con una sesión exploratoria en la que el cliente especifica sus necesidades y espera de nosotros que, antes o después, volvamos con una propuesta sobre la forma en que nuestra empresa puede satisfacer estas necesidades. La redacción de esta propuesta puede suponer un gasto considerable (pensemos en un contrato importante de construcción, o en el informe de un consultor sobre un problema de gestión). La reunión en la que se discute nuestra propuesta forma parte de la negociación. Normalmente, la otra parte espera que nuestra propuesta vaya arropada con un margen de negociación. Esto nos lleva de nuevo a todo lo que hemos dicho sobre la necesidad de manejar las concesiones con un cuidado extremo y de estructurar las negociaciones de forma que lleven al intercambio de concesiones. Si no podemos cambiar el precio, cambiemos el paquete. «Nuestro precio se refiere a este paquete; si ustedes quieren un paquete diferente, nuestro precio será diferente, y si quieren un precio diferente, tendrán un paquete diferente.» Tenemos que introducir con imaginación en nuestro paquete variables que nos permitan mantener nuestra propuesta abierta en orden a tratar los problemas presentados en la mesa. Este es el momento en que nuestra preparación va a tener un efecto positivo, o negativo si no la hemos hecho adecuadamente. La cosa más difícil con la que nos podemos enfrentar es que se nos pida que hagamos «una única oferta». En este caso tendremos que comenzar nuestras negociaciones desde la sesión de especificación, identificando cuidadosamente los deseos y necesidades del interlocutor e intentando orientar la especificación hacia el paquete más simple que podamos elaborar que debiera ser, por definición, el de menor precio.

Una forma de hacerlo es separar los elementos de la propuesta: tanto por el producto básico y tanto más por cada uno de los «extras». El cliente puede comparar el paquete completo o las partes del mismo que desee o pueda pagar. Elige el nivel de servicio que nuestro producto puede ofrecer a sus intereses. Por ejemplo, al elaborar un paquete para un curso de formación será necesario proponer un precio básico por la enseñanza, un precio extra por el alojamiento según la categoría de éste, el coste del alquiler del equipo y el del operador de vídeo, más los gastos generales del curso. La oferta «única», en este caso, tiene varias variables que, aunque el vendedor no esté presente para negociar, obligan al comprador a «negociar» consigo mismo eligiendo el precio que está dispuesto a pagar.

En los tratos comerciales es corriente ofrecer varios niveles de precios que se ajustan al nivel de servicio exigido por el cliente: un precio franco fábrica, un precio en destino, un precio por el producto instalado y un precio por el producto en servicio. El pago puede acordarse para el momento de la expedición, la recepción o la puesta en marcha. Las oportunidades de maniobra son inmensas, por ejemplo, en lo que se refiere al pago aplazado. La norma general de que todas las concesiones hechas sean condicionales es tan aplicable a las negociaciones comerciales como a las demás: «Si ustedes están dispuestos a reducir sus plazos de pago, nosotros podremos hacer lo propio con los de entrega.» Las ventajas de mantener enlazadas las diferentes cuestiones son evidentes incluso a primera vista. La mejor forma de remover los obstáculos a un acuerdo es enlazarlos a concesiones sobre otras cuestiones. («Si desean ustedes acelerar las entregas, podrían recoger la mercancía a medida que va saliendo de nuestra cadena de producción, en lugar de esperar a que se la enviemos por nuestros medios de transporte.»)

El margen de elaboración del paquete y de intercambio es prácticamente ilimitado si los negociadores son conscientes de las variables que entran en juego y de las que pueden traerse a colación. Si los negociadores buscan siempre variables que puedan intercambiar, los acuerdos serán los mejores que puedan conseguir. Dar nada a cambio de nada no es insultar a nuestro opositor. Éste se dedica al comercio porque está acostumbrado a manejar objetos de valor. La base monetaria del comercio se presta a imaginativos ajustes marginales. El intercambio es el *ethos* de la actividad. Usémoslo, por lo tanto, en provecho propio.

El cierre de un intercambio comercial no es diferente al de cualquier otra negociación. La concesión final para asegurar la venta es bien conocida: los vendedores de automóviles la utilizan constantemente. «Le diré lo que voy a hacer. Compre el coche de 900.000 pesetas, le doy 200.000 pesetas por su coche viejo y le pago el seguro de un año, ¿de acuerdo?»

La gente suele recurrir al «cierre con descanso» como forma cortés de romper la negociación: «Tendré que pensarlo» o «Tendré que consultarle a mi mujer (o a mi jefe)», etc. Rara vez utilizan el «cierre con ultimátum», excepto en caso de amenazas de reclamación judicial. Se sobrentiende, sin embargo, que en las relaciones comerciales o se llega a un acuerdo o de lo contrario la operación se hará en otra parte. No es un chantaje porque también se sobrentiende que la otra parte está dispuesta a aceptar la alternativa antes de hacer un negocio en condiciones no viables.

10.5 **El medio laboral**

Las diferencias entre las relaciones comerciales y las laborales son esclarecedoras. En el medio comercial, el vendedor opera en cierto sentido bajo la presión del comprador, porque éste puede acudir a otro para conseguir lo que quiere. El comprador de mano de obra opera en un medio diferente: es él el que puede muy bien estar bajo la presión del vendedor.

LAS ÚLTIMAS EXIGENCIAS

La introducción a última hora de un nuevo elemento en la negociación tiene ciertos riesgos, pero puede ser muy rentable si se trata el tema con cuidado:

«Nuestros técnicos han estado analizando sus propuestas con todo detalle y creemos que si nos ofrecieran ustedes un mecanismo automático de alimentación, éste satisfaría todas nuestras exigencias.»

«Este modelo no admite alimentación automática.»

«Lo sentimos. En este caso, tenemos que exigir un precio más atractivo a cambio de este inconveniente.»

Son muy raros los casos en que un vendedor puede arruinar a un comprador. Pero son muchas las empresas que han tenido que cerrar o suspender pagos a causa del inmenso poder del personal. Así es, inevitablemente. Hay muchas razones para no desear que fuera diferente. Porque si no fuera así, el personal tendría que ser un grupo dirigido de esclavos a sueldo, sin libertad para vender colectivamente su trabajo al precio máximo posible. Esto, evidentemente, es sólo cierto en aquellas sociedades en las que la mano de obra es libre. En Rusia, la «liberación del proletariado» ha eliminado la libre negociación de los precios del trabajo, al menos teóricamente. Las negociaciones versan sólo sobre el cumplimiento del plan de producción. En las sociedades libres, la relación entre comprador y vendedor de trabajo sirve para ilustrar la necesidad de unos acuerdos negociados y estructurados.

10.6 **Las influencias exteriores**

En las relaciones laborales ambas partes están sometidas a influencias exteriores de carácter social, político y económico. Los empresarios tienen que tener en cuenta la legislación, sobre todo la referente a precios y política de rentas. También tienen que tener en cuenta las políticas de sus asociaciones patronales. No hace mucho tiempo que en Inglaterra, algunos miembros de la Federación Empresarial de Ingeniería fueron expulsados de la misma por romper filas en un conflicto salarial y ceder a las exigencias sindicales en el curso de una huelga nacional. Sería inconcebible la expulsión de una empresa de la Federación Patronal por comprar «piezas» a un precio superior al de otro miembro, pero sí que pueden expulsarla por comprar trabajo a un precio superior al marcado por la Federación.

Los sindicatos están sometidos a las políticas fijadas en las conferencias anuales de los mismos así como a las políticas de las asociaciones suprasindicales, como los consejos confederales, por ejemplo, o el TUC o la AFL-CIO. Los sindicatos sufren una fuerte influencia de los partidos políticos a los que están asociados o con los que simpatizan. Todas estas influencias pueden aparecer en la mesa de negociación en temas que apa-

LA «GUERRA FRÍA»

Una importante empresa escocesa de construcción de maquinaria con reputación mundial consiguió un contrato de suministro de maquinaria a un país de Europa Oriental. Cuando había sido entregada ya la maquinaria, la agencia estatal de compras rechazó aquella por su «baja calidad técnica». El suceso tuvo amplia resonancia en la prensa económica.

La razón real, pero oculta, del rechazo fue la escasez de divisas del país comprador.

El fabricante protestó y exigió una retractación de lo que consideraba una crítica sin fundamento de sus productos. Esta reclamación no obtuvo respuesta alguna. Si la agencia admitía la razón real de su negativa a pagar la maquinaria, se hubiera encontrado con un difícil problema de orden interno.

El presidente de la empresa tomó la decisión de no vender nueva maquinaria a este país hasta no recibir una retractación, pues sin ella quedaba comprometido el prestigio de la empresa.

En las fechas en que escribimos esto, la situación sigue paralizada aunque la empresa recibe cada vez más invitaciones a reanudar el suministro de maquinaria y piezas de recambio.

Lo que ambas partes necesitan, de hecho, es una «declaración» aceptable para ambas que les permita reanudar sus relaciones.

rentemente no guardan relación. La imagen pública de los principales negociadores es, por ello, muy diferente de su imagen privada.

Recientemente, un importante sindicato inglés negoció un convenio médico privado para los trabajadores de contrata que trabajaban fuera de su domicilio habitual. Este acuerdo quizá sea normal en Estados Unidos, pero es totalmente absurdo en Gran Bretaña, con su sistema de seguridad social (que, por cierto, no cubría adecuadamente a estos trabajadores desplazados). El acuerdo fue rechazado por el TUC y el Partido Laborista, el cual ha fijado limitaciones a los sindicatos y empresas que quisieran y pudieran llegar a acuerdos similares.

Estas influencias limitan la libertad de negociación pero, en una sociedad tan homogénea como la inglesa, han de ser consideradas como hechos reales.

10.7 **Las negociaciones en el medio laboral**

El negociador empresarial conoce por el capítulo 3 la necesidad vital de preparar eficazmente toda negociación. Tiene que establecer sus objetivos G.P.T., y estimar los intereses y las ideas de su opositor. Al igual que el vendedor que investiga su mercado objetivo, el empresario tiene que desarrollar unos métodos para la evaluación de los objetivos y prioridades de su opositor. Los medios más utilizados son:

1. Las conversaciones informales con los representantes sindicales y delegados de los trabajadores.
2. La lectura y estudio regulares de la prensa sindical, la prensa de «izquierdas» y los documentos de las centrales sindicales (incluidos los panfletos de tipo clandestino que circulan entre los trabajadores).
3. El contacto frecuente entre directivos, mandos intermedios y personal, tanto de taller como de oficina.

Una importante empresa multinacional utiliza las encuestas de opinión y los estudios anónimos de actitudes. Una buena información previa puede minimizar, aunque no eliminar, enfrentamientos innecesarios en la fase de apertura de la negociación, dejando al negociador preparado para confirmar o modificar sus hipótesis previas.

La fase de discusión en las relaciones laborales es especialmente delicada y especialmente propensa a las hostilidades personales. Existen barreras ideológicas y antagonismos de trabajo. El lenguaje tiende a ser más fuerte que el utilizado por los vendedores con sus clientes.

Es importante que el negociador comprenda las relaciones existentes entre ambas partes y saque el máximo partido a la fase de discusión.

La técnica de «marcar goles» no resulta nada útil y sí muy peligrosa en las relaciones laborales.

Los negociadores patronales que se enfrentan con una táctica ofensiva y abusiva de la otra parte (el «volcán en erupción») deben adoptar un «tono bajo». La mejor forma de captar las inevitables señales que se lanzan en un espasmo emocional incontrolado es escuchar atentamente, haciendo preguntas y tragando saliva. Llegará un momento en que el «volcán» agotará sus reservas y será posible avanzar en la negociación utilizando la información obtenida y las señales ofrecidas en una discusión incontrolada.

Es relativamente fácil aprender a no responder a este tipo de explosiones, incluso para personas de carácter impaciente e intolerante, especialmente si se piensa en las grandes ventajas de este comportamiento y en lo poco que esas explosiones suelen durar.

No es raro encontrarse con unos representantes patronales y sindicales que se han enfrentado violentamente en una negociación y que poco después entablan una conversación amistosa. De ahí la importancia de saber separar el papel de negociador y los sentimientos personales de uno.

Un alto directivo de una empresa textil del medio este de Inglaterra fue visto, para asombro de sus colegas, tocando el piano en una fiesta del sindicato para los pensionistas la misma noche del día en que los representantes sindicales habían escrito al director de la empresa para quejarse de este directivo, acusándole de ser, según ellos, un «retrógrado» y «personalmente responsable de todos sus problemas» pasados, presentes y futuros. El delegado sindical que firmaba la carta era el mismo que pidió al directivo que colaborara en la fiesta. Aquí la hostilidad entre los negociadores quedó en el ámbito de lo privado. Por esta razón, el mayor error que una persona puede cometer en la fase de discusión de las negociaciones laborales es «salir a la luz pública». Aun cuando las negociaciones parezcan estar definitivamente rotas, es vital insistir y tratar de impulsar la discusión hacia las fases posteriores.

Una empresa del sur de Inglaterra no llegaba a un acuerdo en una negociación salarial, y sufría una huelga. La dirección estaba convencida de que el personal, de poder elegir libremente, aceptaría la propuesta empresarial y repudiaría a sus representantes sindicales. La empresa insertó, como publicidad pagada, en el vespertino local un ataque a los delegados sindicales, revelando el contenido de sus discusiones privadas con ellos y rematándolo todo con la afirmación de que el 70 % del personal que seguía la huelga era una «minoría irresponsable». Las críticas de la dirección podían ser válidas o no serlo. Pero la cuestión es que «sacar a la luz pública» la fase de discusión indispone las relaciones entre las partes por un período nada despreciable.

La clase opuesta de personalidad con la que la empresa tiene que enfrentarse, además del «volcán en erupción» es la del «tipo duro y callado».

Es el tipo que se limita a exponer sus peticiones y se niega a renunciar a un solo punto. También en este caso hace falta una paciencia infinita. Hay que someterle a un interrogatorio respetuoso pero firme, buscando siempre las razones de su postura y señales sobre sus objetivos. Hay que animarle a proponer soluciones a los problemas que plantea. Es esencial que sigamos buscando información y señales antes que reaccionar de forma similar, es decir, con terquedad y falta de comunicación.

En tanto que las fases de discusión y señales suelen ser, en las negociaciones laborales, mucho más emocionantes, movidas y abiertas que en las comerciales, la fase de las propuestas es formal y ritual. El ejemplo más claro es la reclamación o petición escrita: es decir, un conjunto de peticiones que preceden de hecho a las reuniones de negociación. Las peticiones escritas no deben ser rechazadas como incoherentes o excesivas, ni tampoco ser tomadas con demasiada seriedad. La prensa suele caer en este último error. Los titulares denuncian: «Los mineros reclaman una elevación del 65 % en sus salarios» y los expertos anuncian inmediatamente las consecuencias más graves para la economía. Debemos recordar siempre que una petición es una petición, no un acuerdo. La petición es la propuesta de la PMF de una de las partes. Salvo que, casualmente, abarque la posición límite de la otra parte, la petición no representa el acuerdo. Pero puede contener, incluso ya en esta fase, algunas señales de concesiones. Por esta razón, aunque deba ser considerada como declaración de la PMF de los trabajadores, hay que estudiarla atentamente a fin de poder formular y elaborar el paquete de contrapropuestas. Las contrapropuestas por escrito de la empresa son raras en Inglaterra, aunque mucho más frecuentes en el resto de Europa, especialmente en Escandinavia, y en Estados Unidos.

En cualquier caso, es conveniente animar a las partes de una negociación laboral a presentar formalmente, por escrito u oralmente, sus propuestas y contrapropuestas. Como ya hemos visto, la fase de discusión es la más caliente y, por ello, potencialmente la más peligrosa para la empresa en las negociaciones laborales.

Conviene defender la formulación formal y ritual de propuestas y contrapropuestas, puesto que así se contribuye a rebajar la emoción e impulsar mejor las negociaciones hacia la fase, más productiva, del intercambio. Una forma encubierta de enseñar a la parte opositora en una negociación laboral a utilizar esta técnica consiste en recurrir a descansos frecuentes. Así, toda petición o propuesta debe ir seguida, tras sólo una clasificación de la misma, de un descanso destinado a considerar seriamente la propuesta. La contrapropuesta debe ir acompañada de otro descanso. El formalismo de la propuesta, la pausa y la contrapropuesta dificulta una marcha atrás hacia la fase de discusión y crea la atmósfera de intercambio adecuada.

El directivo que negocia con sindicatos debe tener en cuenta algunos aspectos propios de su entorno. Entre ellos podemos citar la «memoria popular» del movimiento sindical. Las actitudes sindicales están influidas por los mitos populares heredados a través de la memoria colectiva de su movimiento. Los delegados más recientes y jóvenes absorben, por una especie de ósmosis ideológica, estos mitos populares que les condicionan en sus reacciones. Buena parte de esta memoria colectiva es una expresión auténtica de la historia social del país, pero otra parte de la misma no deja de ser pura ilusión ideológica. En Inglaterra, aun la más leve sugerencia de una legislación estatal sobre relaciones laborales es por definición «un ataque fundamental a la libertad sindical». Se citarán en los discursos la memoria de los mártires de Tolpuddle, la huelga general y la Ley de Relaciones Laborales de 1971. Las sugerencias de exceso de plantilla o de aumentos de productividad traerán a su memoria la Gran Depresión, el paro masivo y la miseria.

El negociador debe aprender a «empaquetar» sus propuestas de forma que una redacción imprudente y descuidada no despierte esta memoria popular.

El mayor delito, sin embargo, es poner en duda la representatividad de un sindicato o de sus delegados. Esta ofensa ataca la misma razón de existir del sindicato y sólo un directivo muy confiado o muy irresponsable se atrevería a plantear este tema de la legitimidad.

Michael Edwards, Presidente de British Leyland, retó en 1974 a los sindicatos a cuenta de la representatividad de sus opiniones sobre el futuro de la empresa. Pidió una votación de los trabajadores y obtuvo una proporción de 7 a 1 votos favorables a los planes presentados por el consejo de administración y rechazados por los sindicatos. Edwards ganó en unas circunstancias únicas. Pero, de haber perdido, ¿qué hubiera sido de su cargo?

La reacción normal (como pudo comprobarse en la votación del sindicato de ferroviarios en los primeros años de la administración de Edward Heath) es que los miembros de sindicato cierren filas con sus líderes bajo la memoria colectiva de que «la unión hace la fuerza». Un negociador prudente dejaría este campo de minas a los más valientes.

Las negociaciones laborales tienen algunas otras características exclusivas que pueden resumirse con el nombre de «dobles normas». Los nuevos negociadores aprenden rápidamente este juego. Algunos de los «juegos» verbales más frecuentes son los siguientes:

1. La política sindical normal es exigir menos horas de trabajo, pero la empresa ha creado un gran problema a nuestros trabajadores al reducir las horas extra.
2. La igualdad de salarios es absolutamente correcta siempre que los hombres ganen más que las mujeres.
3. Hay que mejorar los salarios de los peor pagados, pero luego restablecer las diferencias.

4. Si la dirección no puede llegar a un acuerdo con nosotros en este momento sin consultar con la patronal, preferimos negociar con el organillero que con el mono. Pero ahora vamos a informar a la base para ver si aceptan la propuesta de la empresa.
5. Toda legislación que interfiera en la negociación colectiva es un ataque básico a la libertad sindical. Exigimos legislación sobre democracia industrial, inmunidad sindical, planificación industrial, descansos obligatorios, etc.
6. Nuestro boicot a las horas extra, junto con nuestra huelga de celo son una protesta moderada contra la postura intransigente de la dirección. La decisión de ésta de suspender de empleo a los miembros de nuestro sindicato es una provocación directa y sólo puede servir para oscurecer las perspectivas de un acuerdo.

También existen, evidentemente, dobles normas entre los directivos, pero dejaremos que sean los lectores quienes las recuerden.

La principal diferencia entre el acuerdo y cierre de una negociación laboral y de una comercial es la necesidad que tiene el sindicato de lograr la confianza de su base. Ello significa que, con frecuencia, el acuerdo final no queda firmado y sellado en la mesa de negociaciones. El objetivo en estas circunstancias es asegurar el máximo compromiso posible de la parte sindical con el acuerdo recomendado. Y ello significa que debemos cerciorarnos de que con el acuerdo de cierre se comprometen a recomendar a la base la aceptación del acuerdo.

10.8 **El medio internacional**

Las negociaciones entre países soberanos reúnen muchas de las características de las negociaciones comerciales y laborales. Las naciones pueden verse envueltas en grandes conflictos. Pueden utilizar o amenazar con la utilización de la violencia para perseguir sus intereses. Las naciones pueden estar también totalmente de acuerdo, en cuyo caso, el uso o la amenaza de la fuerza para perseguir sus intereses estarán fuera de lugar.

La característica común a las negociaciones entre naciones soberanas es el hecho, y el mutuo reconocimiento, de esa soberanía. Poner en duda, abierta o encubiertamente, la soberanía de la otra se considera como un acto de hostilidad. El respeto mutuo de la soberanía del otro es un prerrequisito esencial para que existan unas relaciones. Esto nos recuerda la sensibilidad de los representantes sindicales respecto a su posición de representantes legítimos de los trabajadores. Podemos llevar aún más lejos esta analogía: la existencia de un país en la comunidad internacional depende de que sea reconocido como un país completo con una organización estatal. Este reconocimiento es un premio muy valioso y de ahí la importancia que los países conceden al reconocimiento de la comunidad internacional —la «prueba ácida» de legitimidad nacional—. También los sindicatos trabajan para obtener su reconocimiento y no renuncian fácilmente a él una vez que lo han conseguido. Los sindicatos compiten también entre ellos para obtener este reconocimiento. Lo mismo que compiten los Estados por un mismo territorio. Las disputas intersindicales por su reconocimiento son a veces tan duras como las internacionales (ejemplos destacados son los de China y Taiwan, Israel y Palestina).

Aunque los gobiernos tienen unas reglas prácticas para otorgarse reconocimiento, hay veces en que tienen interés en utilizar o negar este reconocimiento como arma de negociación. El rechazo de los Estados ya existentes del reconocimiento de la declaración unilateral de independencia del sector turco de Chipre, en 1984, sirvió de instrumento para la reapertura de las negociaciones entre las comunidades turca y griega. A menos que sea reconocido, a todos los fines y propósitos puede decirse que tal Estado no «existe».

Las partes que se proclaman soberanas buscan activamente su reconocimiento, y su amistad u hostilidad hacia los Estados ya existentes depende de la actitud de éstos para con su pretensión. Esto tiene importancia cuando cambian los regímenes. Si el nuevo régimen político está ofendido por una falta de reconocimiento anterior, las relaciones posteriores pueden sufrir repercusiones. Un ejemplo clásico es el de la hostilidad del general De Gaulle hacia Inglaterra y los Estados Unidos durante su segundo mandato, hostilidad basada en el trato recibido por su gobierno en el exilio durante la Segunda Guerra Mundial.

Por todo ello, la soberanía puede ser un prerrequisito muy sensible para un comportamiento negociador estable. El comportamiento público y privado en los contactos entre dos partes nominalmente iguales por lo que respecta a su soberanía tiene algunos aspectos comunes con las negociaciones comerciales: educado, respetuoso y frío. Se supone que los diplomáticos actúan con diplomacia, cualquiera que sea la provocación que reciban. Los negociadores comerciales no suelen insultar a sus posibles clientes.

Las convenciones internacionales más importantes para la negociación entre poderes soberanos no están estrictamente codificadas, salvo las incluidas en la Carta de las Naciones Unidas. Por ejemplo, se supone que las naciones no se atacan militarmente entre sí. Sin embargo, lo hacen. La guerra es un elemento corriente en la escena internacional actual. El valor de las convenciones informales (y formales) de comportamiento depende de su aceptación por las diferentes partes. Las agresiones de un poder soberano a otro suelen ser objeto de condena pero, sin una organización supranacional capaz de imponer estas convenciones, las condenas suelen ser más morales que físicas.

La opinión pública mundial es un factor que influye en las negociaciones internacionales. La guerra de propaganda que pretende obtener un amplio apoyo para un estilo de vida particular es muy real. La opinión pública tiene mayor importancia en aquellos países cuyos sistemas políticos permiten la libre expresión de la misma y no sólo la del gobierno. Los negociadores de países democráticos tienen que enfrentarse con la influencia de la opinión pública en mucha mayor medida que los negociadores de países con regímenes dictatoriales.

Algunos países han llegado a acuerdos voluntarios para resolver sus conflictos mediante tribunales internacionales (como ocurre con los países miembros de la CEE). Esta solución no elimina las causas de conflicto, pero sí influye en las relaciones de negociación. Cuanto mayor sea la influencia de las soluciones legales en un conflicto futuro sobre un acuerdo actual, mayores son los problemas de redacción del acuerdo negociado. Los acuerdos vinculantes implican una negociación compleja. El número de problemas que puede surgir se multiplica con las complejidades de todas las consideraciones a tener en cuenta a la hora de encontrar una redacción formal satisfactoria para los intereses de las partes.

Uno de los resultados de esta situación es que las negociaciones internacionales importantes suelen ser dirigidas por un comité plenario que toma las decisiones principales en materia de principios y que cuenta, a su vez, con varios subcomités o grupos de trabajo, más pequeños, que se ocupan de los detalles. A medida que los subcomités van llegando a acuerdos sobre los detalles, estos acuerdos vuelven a los plenos, que toman las decisiones y el acuerdo final. Si los subcomités no llegan a una decisión sobre algo que resulta ser una cuestión de importancia inesperada o tiene implicaciones para una cuestión importante, el tema puede ser redefinido e introducido en el orden del día del pleno. El sistema exige una gran coordinación del equipo negociador por los líderes del mismo y una alta disciplina colectiva.

10.9 **Las negociaciones en el medio internacional**

Podemos aplicar el método de las ocho fases a la negociación internacional. Esta explicación ha de ser necesariamente breve pero nos servirá para subrayar los puntos destacados en capítulos anteriores.

Los gobiernos emplean especialistas en temas internacionales para el estudio y actualización de su información sobre los países con los que pueden tener que negociar o sobre los temas concretos que tengan que negociar multilateralmente. Por ello, puede decirse que un ministerio de asuntos exteriores emplea todos los días miles de horas-hombre en esta preparación detallada sólo para el caso de que la necesiten los demás ministerios del gobierno. Los ministros tienen que intentar digerir cientos de informes y trabajos redactados para ellos sobre cualesquiera temas sobre los que tengan que negociar en un momento determinado. La preparación será mayor cuanto más importante sea la negociación.

Las personas que llegan a ser líderes se distinguen precisamente y, sobre todo, por su capacidad para trabajar bajo este tipo de tensión. Suelen tener también un buen conocimiento de la política internacional y de los intereses de su país antes de llegar al cargo, aunque sólo sea porque han tenido que seguir un largo «aprendizaje» en su lucha por llegar a él. Existen, evidentemente, excepciones. Pero incluso las personas mejor preparadas tienen que hacer un esfuerzo adicional para prepararse sobre un tema concreto.

En las Conversaciones para la Reducción de las Armas Estratégicas (START), son los diplomáticos profesionales quienes realizan la mayor parte de la minuciosa negociación frente a frente. Reciben instrucciones de sus respectivos gobiernos. Cuando llega el momento de las negociaciones finales y la firma de un tratado, la preparación que se exige es considerable. El Presidente de los EE. UU. recibe informes del Consejo Nacional de Seguridad, del Departamento de Estado y de los Departamentos del Tesoro, Agricultura, Energía y Comercio. Recibe de la CIA una valoración de las actividades que desarrollan los soviéticos por todo el mundo, incluyendo informes de sus actividades secretas, los objetivos de sus despliegues militares y minuciosos detalles de las biografías políticas de los dirigentes soviéticos. Un soporte adicional de información lo constituyen cintas de vídeo de los dirigentes soviéticos en sus encuentros con dirigentes occidentales.

La preparación es, en las negociaciones internacionales, una tarea diaria. Su importancia no puede ser exagerada en ningún caso.

La fase de discusión en estos niveles de negociación tanto puede ser tempestuosa como soporífera. Cuando los temas pendientes son importantes es inevitable que haya tensiones. Las naciones pueden tener reclamaciones colectivas que sientan con toda la carga emocional de una reclamación individual pero multiplicada varias veces. Las normas aplicables a las discusiones que se producen en la mesa de negociación internacional son similares a las de las negociaciones de carácter más doméstico. Podemos señalar un par de puntos útiles que refuerzan todo lo expuesto.

La mayor fuente de presión que soportan los líderes políticos es su imagen pública. En los sistemas democráticos esta imagen constituye una ventaja y también una desventaja: permite al público estar informado de lo que otros hacen en su nombre pero impulsa al político (quizás para evitar las zancadillas de la oposición) a la exposición pública.

La exposición pública es una política peligrosa. Algunos líderes hacen público su objetivo negociador antes de reunirse con la parte contraria. Esta política dificulta enormemente la negociación, teniendo en cuenta, sobre todo, que el objetivo público ha de ser necesariamente ambicioso (no tendría sentido anunciar una meta modesta cuando tratamos de ganar una imagen pública). Si el líder no consigue el objetivo publicado, «fracasa»; como «fracasa» si el objetivo alcanzado es más modesto que el anunciado. Pero, como el acuerdo depende de las dos partes, este objetivo público puede haber sido escasamente realista.

El hábito de exposición pública de los líderes políticos es comprensible pero muy poco político. Si el líder «gana», su opositor «pierde» y éste también tiene su público (en los países comunistas, el «público» es el aparato del partido y los rivales del líder). Cuanto más concreta sea nuestra posición pública y más extremadas nuestras exigencias, más difícil resultará llegar a un acuerdo.

Pero lo que puede ser todavía peor que publicar nuestros objetivos antes de la negociación es el hábito de hacer públicos los argumentos mismos. Las razones para hacerlo son las mismas que en el caso de los objetivos; los resultados son aún más desastrosos. Si damos nuestra propia versión de las discusiones mantenidas con el otro líder, éste puede responder con la misma moneda, con lo que, en lugar de mantener una discusión privada, hacemos que ésta sea pública. Los líderes políticos que tratan de manipular de este modo a la opinión pública dificultan enormemente el camino hacia el acuerdo.

Las negociaciones de Camp David entre el presidente Sadat de Egipto y el primer ministro Begin de Israel se desarrollaron en el más absoluto de los secretos. El resultado fue notable, teniendo en cuenta el grado de enemistad existente entre ambos países. Con toda seguridad, no hubiera habido resultados positivos si cada una de las partes se hubiera sentido obligada a hacer declaraciones públicas. Por el contrario, las negociaciones relativas a la aportación neta de Gran Bretaña a la CEE han sido siempre un asunto de total dominio público, que la Primer Ministro Thatcher se encargó de airear desde sus inicios, revelando los debates entre ella y otros dirigentes en la Cumbre de Dublín de 1979 y continuando con la misma tónica en todas las reuniones en la cumbre que ha celebrado desde entonces. La premura en informar al público combinada con el muy acusado interés de los medios por el contenido y tono de las negociaciones, hace muy difícil para los dirigentes el modificar las posturas iniciales sin que parezca debilidad.

El gran problema de la dirección de unas negociaciones entre dos países es la distancia que los separa y que obliga a las partes a viajar para reunirse o a confiar en unos equipos permanentes que trabajen juntos. La primera solución dificulta el envío de señales debido a la brevedad de las reuniones (los líderes políticos tienen que estar al frente de su país), en tanto que la segunda no facilita el avance a causa de la falta de autoridad de los negociadores.

Las negociaciones de 1969-73 entre Estados Unidos y Vietnam del

Norte sobre el fin de la guerra de Vietnam ilustran el coste de esta situación. Los equipos se reunían con poca frecuencia, dificultando el envío recíproco de señales. Para complicarlo más, las «reuniones» se hacían a cuatro o cinco niveles: ambas partes se «reunían» a través de intercambios públicos de opinión a niveles de gobierno, como las declaraciones públicas de Nixon a su opinión pública o las declaraciones públicas de Hanoi en tribunales mundiales; los equipos negociadores permanentes se reunían en París, dirigidos por William Porter y la señora Nguyen Thi Bhin, por parte americana y vietnamita respectivamente; y Henry Kissinger se veía en secreto con Le Duc Tho, en unas sesiones no públicas. Un cuarto nivel era el que representaban los contactos de Estados Unidos con Hanoi a través de la Unión Soviética.

Los signos procedentes de estos diferentes niveles no eran siempre claros ni coherentes entre sí. A veces, la delegación del Vietnam parecía decir algo diferente de lo que decía Hanoi; otras veces era Norteamérica la que parecía contradecirse, según fuera el lado que hablaba.

En las negociaciones del Líbano de 1983, que también afectaban a bandos que eran enemigos irreconciliables con un largo historial de guerra brutal entre ellos, todas las personalidades dirigentes del conflicto estaban presentes en la misma habitación por vez primera desde que estalló la guerra civil.

En las negociaciones de Zimbabwe, celebradas en Londres en 1979, que afectaban también a dos partes en guerra, los líderes de uno y otro lado tuvieron una sede permanente durante las 14 semanas de continua negociación bajo la mediación del gobierno británico. El caso era raro pero necesario.

Las negociaciones internacionales suelen ser mucho más formales que las laborales o comerciales. Aun cuando los líderes participan a nivel personal y sin una documentación normal sobre los temas más amplios, sus subordinados utilizan una documentación normal en casi todos los casos. Resulta esencial hacerlo cuando se trabaja en varios idiomas. Hacen falta conocimientos de redacción y lingüística. Hace falta también paciencia y tesón. Algunas veces se recurre a la negociación a fecha fija, forzando a las partes a llegar a un acuerdo para una fecha, incluso para una hora determinada. Este tipo de sesiones ofrece la oportunidad de realizar estudios de habilidad. En la CEE, la negociación a fecha fija suele ir combinada con la negociación ininterrumpida, es decir, la sesión no se interrumpe hasta que las partes llegan a un acuerdo. Esta combinación de habilidad y agotamiento suele provocar los compromisos «históricos» que han dado fama a la CEE. El sistema ha originado la táctica, seguida por aquellos que prefieren mantener el *status quo,* de evitar las fechas fijas, y por lo tanto las decisiones.

A nivel internacional, las propuestas suelen ser condicionales. Por ejemplo: «Los Estados Unidos estarían dispuestos a aceptar un alto el fuego inmediato a cambio de la retirada de las fuerzas norvietnamitas que penetraron en Vietnam del Sur a partir de la ofensiva del 30 de marzo.» Propuestas escritas de este tipo impiden separar la condición del ofrecimiento; de ahí que el orden sea menos importante que en el caso de una oferta verbal. La propuesta anterior, de hecho, contenía dos importantes señales dirigidas a Hanoi: un «alto el fuego inmediato» dejaría en manos del Vietcong el control del territorio, y al hablar de la retirada de los norvietnamitas que habían penetrado después del 30 de marzo se admitía que se quedaran en Vietnam del Sur todos los norvietnamitas que lo habían hecho antes de aquella fecha.

La decisión más importante en una tema internacional es la de enlazar o no los temas en litigio. Los franceses han intentado en varias ocasiones vincular la aportación de Gran Bretaña al presupuesto de la CEE con otros temas, tales como la pesca y la política de importaciones de carne, lo que ha sido rechazado por Gran Bretaña; en 1984, Gran Bretaña, para consternación de Francia, insistió en vincular sus demandas presupuestarias a cualquier voto para incrementar el casi exhausto presupuesto de política agrícola comunitaria. Los americanos han mantenido de siempre la política de intentar vincular los temas relativos a los derechos humanos con las negociaciones comerciales y de desarme con los países del bloque soviético (muy especialmente en 1983 con Polonia).

En unas negociaciones complejas se pueden enlazar las cuestiones internas, aunque se mantengan separadas las externas. El ministro de asuntos exteriores soviético Andrei Gromyko lo expresaba muy bien en un momento difícil de las negociaciones SALT: «Si se pudiera aislar una de estas cuestiones y sacarla del contexto general, se prestaría a una solución bastante fácil. Sólo que no es posible aislar estas cuestiones... Si tuviera aquí un ovillo de hilo se lo demostraría gráficamente.»

El cierre de la última diferencia que separa a dos partes a nivel internacional exige algo más que el intercambio de unas concesiones finales. La negociación se desarrolla en público, como ya hemos señalado. Si ninguna de las partes se ha expuesto al público en la fase de discusión, es del todo probable que lo haga hacia el final de las negociaciones, especialmente si está tratando de que la otra parte aparezca como la causante de una «ruptura» o tratando de demostrar lo firme de la postura propia a fin de empujar al otro a hacer las concesiones finales.

No hay que exagerar los problemas que esta publicidad puede originar, pero sí señalar que pueden ser serios. Al aproximarse al fin de la negociación, comienza a delinearse la forma final del acuerdo. Los políticos suelen cambiar de opinión, o suceden cosas que los llevan a revaluar las ventajas que obtienen del acuerdo. De ahí que, a medida que se acerca el momento del acuerdo, puedan aumentar las acusaciones de «mala fe», etc. Un desacuerdo poco importante o una postura aparentemente intransigente pueden ser interpretados como una provocación en busca de una ruptura. Aconsejamos seguir la regla siguiente en la fase de cierre de una negociación internacional: si una de las partes anuncia públicamente que está próximo el acuerdo, no hagamos caso: están tratando de presionar a la otra parte para que salve la diferencia (es muy probable que sean ellos los más tercos); si una de las partes anuncia que es inminente una ruptura, no hagamos caso tampoco: están tratando igualmente de presionar a la otra parte (amenazando quizás con la ruptura en relación a un tema menor, cuando en realidad es inminente el acuerdo).

Capítulo 11

ESTRATEGIA Y TÁCTICAS

11.1 **Introducción**

La estrategia es el plan de juego que utilizamos para alcanzar nuestros objetivos. Las tácticas son los elementos individuales de este plan estratégico. Los movimientos son ataques y maniobras, que responden normalmente a las tácticas de nuestro opositor. En este capítulo vamos a examinar algunas de las tácticas y los movimientos utilizados con mayor frecuencia en las negociaciones. Hemos resistido la tentación de trabajar con mecanismos de negociación complejos y sutiles, prefiriendo que el libro termine como empezó: como una guía para los directivos profesionales que tengan que participar en negociaciones o simplemente observarlas.

Si suponemos que el objetivo de una negociación es conseguir un acuerdo con nuestro opositor sobre un tema, la negociación trata realmente de encontrar el acuerdo, entre los varios posibles, más aceptable para ambas partes. Si no hay ningún acuerdo posible, la negociación lo revelará antes o después.

Pero queda la cuestión de cómo conseguir el mejor de los acuerdos posibles. Ambas partes tienen ante sí una gama de acuerdos satisfactorios —lo que se deduce de la noción de superposición de las posiciones límite de ambas partes—. Llegar a un acuerdo satisfactorio no es lo mismo que alcanzar el mejor de los acuerdos posibles. En unas negociaciones sobre temas múltiples tiene que haber un número más amplio de acuerdos potencialmente satisfactorios que en aquellas en que se negocia una sola cuestión, aunque sólo sea porque las posibles combinaciones de máxima ventaja en un tema y ventaja satisfactoria en otro —e incluso quizás pérdidas en algunos temas— son más numerosas que los temas en conflicto.

La forma en que hagamos nuestros movimientos y respondamos a los movimientos de nuestro opositor determinará el punto de nuestro intervalo de negociación: la posición límite, la PMF o una posición intermedia.

En la preparación tendremos que decidir el margen de movimiento que vamos a admitir entre nuestra oferta de apertura y nuestro límite. Este margen de negociación es objeto de una decisión estratégica. Nuestras tácticas serán la consecuencia de esta decisión. Para facilitar la elección de este margen de negociación ofrecemos algunas ideas que son, necesaria e intencionadamente, generales. La mayor parte de este trabajo exige que ejerzamos nuestro propio criterio, algo casi totalmente subjetivo. Consideremos en primer lugar la relación de fuerzas.

11.2 **La relación de fuerzas**

El factor decisivo en nuestra preparación es la relación de fuerzas existente entre nosotros y nuestro opositor a la hora de negociar los temas en conflicto. En términos generales, cuanto más fuerte sea nuestra posición, menor tiene que ser nuestro margen de negociación. En el extremo podemos adoptar la postura de «una única oferta», que inevitablemente excluye todo margen de negociación. O toma o deja nuestra oferta. Si la otra parte tiene fuerza suficiente puede imponernos la condición de hacer una única oferta, obligándonos a presentar nuestro «mejor precio» si queremos un acuerdo, porque sabemos que no va a haber negociación sobre un margen implícito. Si tenemos que competir con otros proveedores sobre la base de una única oferta, estaremos en peor posición que si tenemos la posibilidad de negociar.

La negociación presupone que ninguna de las partes tiene un poder absoluto, lo que no significa que ambas tengan el mismo poder. Nuestro opositor puede tener el poder suficiente para obligarnos a aceptar un acuerdo más cercano a nuestro límite, pero no el suficiente para obligarnos a una rendición total. Puede que actúe dando la impresión de que tiene el poder suficiente cuando en realidad no lo tiene. La estimación del poder de negociación propio y del opositor es cosa muy subjetiva en lo que cabe un gran margen de error. De ahí la importancia de una preparación adecuada y la búsqueda de información secreta acerca del interlocutor.

Nuestro poder aumenta si el *no* alcanzar un acuerdo perjudica a nuestro opositor más que a nosotros. Si los compradores hacen cola para adquirir nuestro producto, estaremos en una postura más fuerte que en el caso de que seamos nosotros quienes hacemos cola, junto a nuestros competidores, para venderlo. Si el coste de no llegar a un acuerdo con nuestro opositor es, para nosotros, mayor que el coste que nos produciría hacer el trato en sus condiciones, estaremos en una posición relativamente más débil. La estimación de la correlación de fuerzas no pasa de ser un ejercicio de adivinación (la otra parte puede saber algo que nosotros no sabemos).

Parte de la información sobre la necesidad que cada parte tiene de llegar a un acuerdo es obvia para ambas partes. Los plazos límites de producción, cuando toda la producción está en juego, ponen a la empresa en una posición débil si el personal decide ejercer su poder, lo que es frecuente. Cuanto mayor creamos que es nuestra fuerza, más estrecho será el margen que elegimos entre nuestra PMF y nuestro límite y mayor la firmeza de nuestra posición de apertura. Cuanto más débiles nos sintamos, más amplio será nuestro margen y menor nuestra firmeza. En última instancia, aceptaremos lo que podamos obtener (por ejemplo, los rusos en las negociaciones del armisticio de Brest-Litovsk en 1917 y los alemanes en Versalles en 1918).

11.3 **Una única oferta**

Los grandes compradores, como la administración pública, aprovechan su poder de compra para imponer un sistema llamado de concurso. El sistema tiene la finalidad ostensible de asegurar unas transacciones financieras honradas entre funcionarios y empresas privadas. En el sistema de concurso, *ceteris paribus,* se acepta la oferta más baja en caso de compra y la más alta en caso de venta. La oferta es un ofrecimiento único que excluye la negociación, especialmente cuando las ofertas se reciben en sobre sellado cuya apertura se efectúa en fecha y hora determinadas. Las partes que se presentan a un concurso se ven obligadas (si no se admite la colusión) a ofrecer directamente el «mejor precio». No hay lugar a un margen de negociación.

Es una opinión frecuente que el concurso con ofertas cerradas excluye la posibilidad de negociar. En la práctica, las negociaciones preceden al proceso formal de concurso: lo que se negocia es la especificación.

Este sistema tiene dos peligros. En primer lugar, si el comprador, recibidas las ofertas, trata de negociar la rebaja del precio con la oferta ganadora, la próxima vez todas las ofertas llevarán un aumento a modo de margen de negociación. Este proceder contradice la finalidad del concurso con ofertas cerradas. En segundo lugar, cuando el comprador no negocia su especificación y se limita a exponer sus condiciones como si todas ellas tuvieran la misma importancia, el concursante se encuentra con una lista de exigencias no ponderadas y debe suponer que todas ellas tienen el mismo valor para el comprador. Tiene que elaborar su oferta con esta idea. A veces ocurre que algunos de los elementos más caros tienen una importancia marginal en comparación con otros, pero el concursante, que no

> **LA CONTRAOFERTA**
>
> En Escocia las cosas se venden mediante concurso de ofertas cerradas. El representante del vendedor solicita, por ejemplo, «ofertas superiores a X pesetas antes del viernes al mediodía».
>
> Es un sistema muy bueno para el vendedor, que, de esta forma, recibe unas ofertas situadas en el límite de los compradores o cerca de él.
>
> Una forma de compensar esta desventaja consiste en que el comprador fije un plazo límite a su oferta (sistema conocido como «oferta con reserva»): «Ofrezco X + 10 % pesetas siempre que la oferta sea aceptada antes de las 10 de la mañana del miércoles.» Se intenta así provocar una incertidumbre en el vendedor, que pensará: «Si dejo pasar esta oferta, ¿recibiré otra mejor?»
>
> La situación del mercado es la que determinará la eficiencia de esta táctica.

lo sabe, presenta un precio mucho más alto del que hubiera sido necesario de haber podido negociar la especificación.

Si una de las partes cree estar en una posición de fuerza puede utilizar la misma estrategia: adopta una única oferta y se niega a negociar concesión alguna. En este caso, lo que está haciendo es fijar los precios y obligando a la otra parte a «tomarlo o dejarlo».

Ford Inglaterra utilizó una estrategia similar en una negociación salarial hace algunos años. Hicieron una oferta al sindicato y anunciaron que no iban a mejorarla. Los sindicatos llamaron a la huelga pero ésta fracasó cuando el personal conoció la oferta inicial (y final) de la empresa. Había sido cuidadosamente calculada por la empresa de forma que fuera suficientemente alta para atraer a la mayoría del personal, que prefería recibir una suma sustancial de dinero (en comparación con años anteriores) sin huelga, que perder dinero en una huelga tratando de mejorar esta cantidad.

11.4 Estrategias en conflicto

Negociar presupone la existencia de un margen. Cada una de las partes puede no saber la amplitud de este margen, si es o no significativo, si está o no dentro de su respectivo margen de acuerdo, pero sí cuenta con que la otra parte habrá «vestido» su oferta en alguna medida. No supone que la otra parte haya expuesto una oferta no negociable. Si una parte viene a negociar y la otra adopta una posición de oferta única, es claro que hay una incompatibilidad de expectativas. Tarde o temprano, la parte que quiere negociar tendrá que revisar su idea acerca de la naturaleza de las «negociaciones». Durante un tiempo, puede que interprete el comportamiento de su opositor como de firmeza en su posición inicial, pero llegará el momento en que se dará cuenta de que está ante una oferta única. Probablemente la acusará de «mala fe».

Si ambas partes adoptan una postura de oferta única, llegarán a un punto muerto si las ofertas no tienen cierto grado de coincidencia, lo que ocurrirá si ambas partes eligen unas ofertas de apertura próximas a sus PMF (exceptuando el caso, muy improbable, de que coincidieran las PMF de ambos). Si la oferta única de una parte cae dentro del límite de la otra, puede haber acuerdo si el que recibe la oferta no revisa su PMF y aleja aún más su oferta única. Por lo general, la estrategia de lanzar una oferta única es muy arriesgada: induce al rechazo total (dando quizás entrada a la competencia) y presenta el riesgo de tener que aceptar unas condiciones peores de las que podíamos haber negociado.

A nadie le gusta una oferta formulada en términos de «o esto o nada», que es lo que la oferta única significa. La estrategia de la oferta única sólo es viable para el que tiene un enorme poder, y sólo es necesaria para el que adolece de una enorme debilidad.

Negociar es eliminar el «ropaje» de las propuestas de la oposición. Los movimientos y tácticas de la negociación persiguen alcanzar este objetivo general. La razón por la que los negociadores no acaban de comprometer-

LOS AMOS DE AYER

Una importante empresa de fotocopiadoras tenía patentadas sus máquinas. Su política era alquilar, no vender. La empresa mantuvo su política de alquiler exclusivo en tanto sus máquinas conservaron su ventaja técnica sobre las de la competencia. Cuando tal ventaja desapareció, la empresa tuvo que negociar tanto la venta como el alquiler. La relación de fuerzas había variado y la empresa tenía que aprender a vender.

Las compañías petroleras solían conceder descuentos ventajosos a los grandes consumidores de sus productos. Desde 1973, al quintuplicarse los precios del petróleo, éste resulta mucho menos abundante. Hoy, los grandes consumidores buscan petróleo al precio que se lo ofrezcan.

La fabricación de botes de hojalata requería hace años un cierto nivel técnico que sólo poseía un pequeño número de empresas. Las nuevas tecnologías de producción han simplificado los métodos y hoy cualquiera que cuente con la maquinaria adecuada puede hacer botes de hojalata. Los fabricantes de toda la vida tienen que negociar hoy sus ventas frente a una competencia mucho más dura.

se es porque nunca están seguros de haber exprimido todo el margen de su opositor. También les gusta aceptar una posición alejada de su propio límite. Esto les impulsa a llegar a un acuerdo lo antes posible. Un conocimiento táctico les ayuda a conseguirlo.

11.5 Movimientos y tácticas más comunes

Evidentemente no es posible hablar de todos los movimientos y tácticas con las que podemos encontrarnos en el curso de nuestras negociaciones. Las variantes son casi infinitas. Las sorpresas que podemos encontrar en una mesa de negociación son innumerables.

Sin embargo, hay un número relativamente pequeño de movimientos y tácticas que ocurren con la suficiente frecuencia para que merezca la pena estudiarlos y analizarlos en momentos de tranquilidad. Si el lector es un negociador habitual, reconocerá seguramente muchos de los que hemos elegido. (Nuestra selección es por fuerza subjetiva. Este capítulo podía haber sido mucho más largo pero necesidades de espacio y equilibrio impusieron una reducción drástica.)

Presentamos estos movimientos y tácticas en la forma más fácil de reconocer y asimilar por los lectores. Utilizamos el estilo directo para ilustrar la expresión más común empleada por los negociadores o, en los casos apropiados, una explicación resumida de la táctica. Ofrecemos nuestra opinión de la finalidad negociadora de la táctica ilustrada y, ocasionalmente, uno o dos ejemplos de su posible utilización. A continuación damos una o dos sugerencias sobre la forma de responder —o la respuesta que ha de esperarse— cuando una de las partes introduce la táctica en cuestión. Obsérvese que utilizamos puntos suspensivos (...) cuando la persona que habla se refiere al tema concreto objeto de la negociación. El orden de presentación no tiene significado especial alguno. En general, sigue el orden de una negociación, desde la apertura al cierre, pero prescindimos de este orden cuando la exposición mejora al juntar varios elementos.

El disparo

> «A menos que acepte usted inmediatamente..., no seguiremos tratando ningún otro punto.» (Acompañado, con frecuencia, de una amenaza de sanción.)

Nuestro opositor está intentando obligarnos a abandonar una posición a fin de que no podamos utilizarla para conseguir de él concesiones en las áreas que vamos a negociar después. Esta táctica suele usarse en casos de despido («readmisión antes de negociar»); cuando hay huelga («no negociamos bajo presiones»); como condición previa para la negociación cuando está en juego un principio importante. («No hay negociación con los Estados Árabes hasta que reconozcan la existencia del Estado de Israel», «No hay negociación con Israel hasta que reconozca el derecho de los palestinos a la autodeterminación».)

Nuestra respuesta estará condicionada por la relación de fuerzas. ¿Tiene la otra parte la fuerza suficiente para imponer sus exigencias? Si no es así, hablaremos de lo injusto que es poner condiciones previas poco razonables o de cómo es preferible discutir el fondo del asunto.

No negociable

En unas relaciones formales no es raro que las partes concreten el alcance y la naturaleza de los límites que están dispuestos a respetar. Por ejemplo, en Inglaterra, la Federación de Empresas del Metal y los Sindicatos del Metal llegaron el año 1922 al acuerdo de definir los límites de su relación; el acuerdo al que llegaron (conocido impropiamente como «York Memorandum») duró hasta los años 70. El acuerdo contenía el siguiente principio:

> «Los empresarios tienen derecho a dirigir sus empresas, y los sindicatos tienen derecho a ejercer sus funciones.»

Esta declaración tenía una enorme importancia porque iba a ensombrecer todas las negociaciones entre ambas partes. En un principio, se interpretó que significaba que una empresa podía introducir los cambios que deseara en los talleres sin consultar al personal y que, si éste criticaba los cambios o se oponía a ellos, debía seguir el procedimiento establecido para resolver (o como decía el acuerdo, «evitar») los conflictos. Con otras palabras, los trabajadores tenían que admitir el nuevo *status quo* y, si querían el *status quo* anterior, habían de negociar. Esta política originó grandes problemas, ya que la relación de fuerzas en el taller se inclinó del lado de los sindicatos, que insistían en que el *status quo* válido debía ser el anterior y que las empresas no podían hacer cambios sin recurrir antes al procedimiento. La imposibilidad de llegar a un acuerdo sobre esta nueva interpretación contribuyó a la ruptura del acuerdo.

No es raro oír una táctica de «no negociable» del tipo siguiente:

> «Estamos dispuestos desde luego a discutir los criterios seguidos en la promoción del personal pero no estamos dispuestos a permitir discusión alguna sobre las personas elegidas ni a actuar en forma alguna que socave el absoluto derecho de la dirección a decidir en materia de promoción.»

Actualmente esta táctica está sometida a presiones, normalmente mediante tácticas de «bocadillo».

> «La cuestión de... es, por lo que a nosotros respecta, innegociable.» (Declaración que suele ir acompañada de una lista de los temas negociables.)

Nuestro opositor puede decirnos que prefiere romper las negociaciones a negociar el tema «sagrado». Podemos decir lo mismo, más o menos, que en el caso anterior. El tema no será negociable si la otra parte tiene la fuerza suficiente; en otro caso, será negociable. La otra parte puede señalarnos la posibilidad de unas concesiones respecto al resto de los temas conflictivos. Nosotros podemos comprometernos a no plantear el tema «sagrado» para poder avanzar en los demás; podemos querer hacerlo sin perjuicio de nuestro derecho a plantear el tema en otro momento («sin perjuicio de» es una frase útil en las negociaciones).

No es difícil encontrar ejemplos en los que una parte considera que la otra está solemnemente ligada por obligación, por contrato o por ética. («Nosotros no negociamos con terroristas», «La responsabilidad es innegociable», «Las deudas pueden negociarse pero nunca anularse».)

Nos veremos en los tribunales / en los piquetes / en las trincheras

> «Me disgusta tener que estar aquí en estas circunstancias pero tengo órdenes de intentar por última vez llegar a un acuerdo. Tengo algunas propuestas que les aconsejo consideren seriamente, ya que, de actuar ustedes irrazonablemente, no tendré inconveniente alguno en resolver este conflicto por los otros medios que se me ofrecen.»

Este puede ser un último y auténtico intento de llegar a un acuerdo en una atmósfera de mutua hostilidad. También puede ser una provocación a la guerra.

En las negociaciones sobre el Líbano, celebradas en Ginebra en 1983, las diversas facciones militares proclamaron más de una vez su determinación de volver a la guerra si los demás no hacían interesante un arreglo pactado. Esto es precisamente lo que sucedió en 1984: la guerra civil estalló de nuevo una vez que quedó en claro que muy poco va a cambiar en el Líbano hasta que alguien no se imponga a todos los demás.

Durante las negociaciones de Zimbabwe, cada una de las partes demostró su nivel de compromiso mediante «espectaculares» actos de guerra: el Frente Patriótico mató a miembros del Parlamento Nacional y a colonos blancos y el gobierno blanco hizo incursiones en Zambia para exterminar a las guerrillas. Un proceso similar está siguiendo Suráfrica con sus vecinos.

El hecho de que negociaran indicaba que debía tomarse en consideración la retórica belicosa, pero tampoco se podía descartar del todo la posibilidad de una ruptura de las negociaciones. Si queremos evitar tener que hacer concesiones importantes (e innecesarias) o poner en práctica nuestras amenazas, o las suyas, es esencial distinguir entre las simples posturas y las intenciones más serias.

El bueno y el malo

Nuestro opositor se muestra en una línea muy dura con respecto a la cuestión debatida. Alude también a posibles sanciones («el personal no lo admitirá»). Luego habla otro miembro del equipo (a veces la misma persona representa ambos papeles) y presenta una postura más razonable que la primera, aunque tal postura «razonable» puede seguir siendo inaceptable. Esta segunda forma tenderá también a garantizar una solución a los problemas citados anteriormente («creo que podremos convencer a la gente si conseguimos llegar a un acuerdo satisfactorio»).

Es una de las tácticas más viejas. Aplicada certeramente, suele ser también una de las de mayor éxito. Pero tiene sus riesgos para el que la emplea. Si se exagera el papel del malo, el efecto puede ser más provocador que intimidatorio. Si el bueno aparece muy pronto, contribuirá a aumentar la seguridad de la otra parte, que interpretará su actitud conciliadora como una respuesta a su reacción ante los planteamientos del malo. O sea, que se anima a la otra parte a resistir, no a rendirse.

La figura del malo suele servir para establecer una plataforma de negociación ventajosa, creando así un margen de negociación para el bueno. Ejemplo de esta táctica es el de una reciente negociación en el sector de la construcción entre un contratista y un subcontratista suministrador de la instalación de aire acondicionado. El papel de malo fue representado por el director de la empresa, quien informó al subcontratista de lo que iba a hacer:

> «Su empresa y sus ingenieros nos han fallado. Ello me ha obligado a revisar totalmente nuestras relaciones con ustedes. He dado órdenes al director de obra para que me informe detalladamente de las diferencias que hay entre las especificaciones del contrato y la calidad de los productos y los trabajos de instalación de ustedes. Nuestro personal de contratación está teniendo conversaciones con otros suministradores para estudiar si pueden sustituir rápidamente sus instalaciones. Vamos a enviar a su personal a casa en el avión del sábado próximo e interrumpir los pagos programados. Tengo

intención de firmar contratos con estas otras empresas si nos garantizan una calidad suficiente y si nuestras conversaciones de hoy no arrojan un resultado satisfactorio, daremos publicidad a las razones por las que nos vemos obligados a hacer estos cambios y, ciertamente, explicaremos la cuestión a nuestro cliente. Les hacemos responsables de estos fallos y de los consiguientes costes y, francamente, no me importa lo que va a costarnos arreglarlo porque, en cualquier caso, vamos a presentar una reclamación judicial. No voy a admitir ninguna nueva excusa.»

La línea del malo fue sustituida, posteriormente, por la del bueno, el director de proyectos:

Un sindicato portuario de Sidney utilizó la táctica del bueno y el malo con gran éxito durante muchos años. En este caso las representaciones eran casi teatrales y se basaban en gran medida en la reputación sólidamente establecida de los líderes sindicales locales como hombres que preferían el conflicto al compromiso. Su táctica era la siguiente: una persona del equipo negociador sindical tenía órdenes de no decir palabra en las negociaciones. Lo único que tenía que hacer era mirar al equipo negociador contrario con una agresividad contenida y mover la cabeza con furia cuando sus compañeros lanzaban sus discursos. En cada ocasión en que uno de los hombres del sindicato mostrara signos de compromiso modificando la posición del sindicato en cualquier punto, este hombre tenía que volver su atención al sindicalista y demostrar con miradas, murmullos y tacos que estaba muy enfadado por el comportamiento conciliador de su compañero. Esta actuación tenía lugar en público, ante la dirección de la empresa, y permitía a los líderes sindicales que dirigían las negociaciones probar su disposición al compromiso así como las razones que les impedían llegar a éste. Cualquier acercamiento a las posiciones de la empresa les enfrentaba con los «militantes de base». De hecho, y para dejarlo bien claro, el hombre duro pasaba alguna que otra vez a mayores, llegando incluso a intentar abalanzarse sobre el «conciliador» (evidentemente, sus compañeros le sujetaban). La táctica, sin excepción, conseguía el efecto deseado.

A la hora de hacer una propuesta, la dirección de la empresa observaba la reacción del malo como reveladora de la aceptabilidad de la misma. Si la reacción era violenta y empezaban las protestas, la empresa tendía a retroceder; si la reacción era de impasibilidad e incluso de indiferencia, la empresa seguía adelante. El papel de esta persona quedaba completado con su intervención, expresada en una sola frase, en cualquier reunión: «¡Hay que sacarlos!» (a la huelga). Esta frase le hizo famoso y merecedor del apodo de «dentista». La empresa creía absolutamente en su papel y es muy probable que él mismo llegara a convencerse del mismo.

«Lo que nos interesa es acabar el trabajo, no renunciar a nuestros proveedores. Pero ustedes tienen que convencernos de que van a arreglar la cosa. Pondré a mis ingenieros a trabajar con su personal para que comprueben y hagan funcionar las instalaciones. También tendrán ustedes que hacerse cargo de los costes de obra y del trabajo de sustitución, pero si pueden hacer un esfuerzo especial, procuraré que no se tomen, por nuestra parte, medidas irreversibles. Si nos ofrecen una respuesta válida, olvidaremos esta desafortunada experiencia.»

Dos horas más tarde se había llegado a un acuerdo; el contratista renunciaba a sus reclamaciones y el subcontratista tendría que pagar únicamente el trabajo adicional.

El frente ruso

Se trata de una adaptación de la táctica anterior y consiste en utilizar distintas propuestas en lugar de estilos distintos de presentación. Nuestro opositor recibe dos propuestas, una peor (para él) que la otra y se ve obligado a aceptar la otra para evitar la propuesta más temible. («Todo antes de ser enviado al frente ruso.») Las posibilidades de éxito de esta táctica dependen de la credibilidad de las alternativas.

Uno de los opositores puede presentar una propuesta totalmente inaceptable pero que creemos que tiene intención de obligarnos a aceptar. Por ejemplo, el caso de una empresa que tuvo que renunciar a su intención de revisar el importe de la baja por enfermedad, que había rebasado el presupuesto a causa del absentismo, porque el sindicato comenzó a plantear el tema de una prima de asistencia. La propuesta sindical era *anatema* para la empresa, por lo que ésta consideró que había tenido «suerte» al «evitar» la propuesta mediante un compromiso que, de hecho, no resolvía en absoluto el problema del absentismo. Habían caído en la trampa del «frente ruso».

La forma de no caer en esta trampa es recurrir al «no negociable», o recordar que «dos no llegan a un acuerdo si uno no quiere» y que si no aceptamos una propuesta, ésta no pasará de ser una propuesta. También podemos responder a dos propuestas extremas con dos contrapropuestas igualmente extremas. El resultado puede ser un movimiento recíproco hacia posiciones más razonables, retirando ambas partes las propuestas alternativas extremas.

Una compañía de alquiler de aparatos de televisión consiguió un contrato parcial con una cadena de hoteles. La emprea había ofrecido precios bastante más bajos que la competencia para conseguir entrar en el negocio, pero se encontró después con un coste de mantenimiento de los aparatos anormalmente alto.

De los análisis realizados se deducía que la cadena de hoteles estaba utilizando los aparatos de TV de esa empresa en los hoteles de menor categoría. El contrato correspondiente a los hoteles de categoría superior estaba próximo a vencer y la empresa en cuestión quería también este otro contrato. pero se enfrentaba al problema de una baja rentabilidad en su actividad actual y a un precedente de precios bajos para el nuevo contrato.

La posibilidad de conseguir directamente una elevación de los precios parecía remota, por lo que adoptaron la táctica del «frente ruso». La empresa explicó su problema de costes de mantenimiento a la cadena de hoteles y, para resolverlo, presentó una serie de soluciones elegidas por su falta de atractivo o su imposibilidad práctica. Tras prolongadas discusiones, la cadena de hoteles sugirió el aumento del precio del alquiler de los aparatos como una solución mejor. La empresa de TV aceptó y pasó a negociar el aumento.

Ofrecer mucho o poco

Esta táctica es similar a la del «frente ruso», sólo que, en este caso, no hay propuesta alternativa. Nuestro opositor abre la negociación con una petición extremadamente alta, mucho más de lo que habíamos previsto. Nos enfrentamos con la alternativa de retirarnos o tratar de ponernos de alguna forma a su altura. Su táctica consiste en tentarnos a hacer una oferta mucho más alta de la que hubiéramos hecho en otro caso, lo que puede conseguir si nosotros creemos que la firmeza de su petición es grande. Al adoptar una posición extrema nos obliga a acercarnos a su PMF. Lo mismo puede decirse si, en una negociación de compra, nuestro opositor aparece con una oferta baja.

Si nos retiramos, la otra parte puede aplicarnos sanciones. La alternativa es: resistir o revisar nuestra posición. Si nuestra retirada perjudica a la otra parte más que a nosotros, será ella quien tenga que revisar su posición. Es el riesgo que corre. También podemos presentar una oferta muy baja para compensar su alta petición inicial. En lugar de revisar nuestro límite acercándonos a nuestro opositor, revisamos nuestra PMF alejándonos de él.

Los chamarileros suelen hacer ofertas muy bajas por el mobiliario de una casa. Por lo general, los vendedores suponen que ese es el precio del mercado y lo aceptan. El comprador tiene un aire indiferente, estudiado cuidadosamente. Retira el mobiliario y lo vende después a un precio más alto. Si ofreciera un precio «razonable», trataríamos de regatear y buscar otras ofertas. Esta táctica de choque suele tener casi siempre éxito.

Venda barato pero hágase famoso

> «Sabemos que el precio de nuestra oferta no le satisface, pero el beneficio auténtico que obtiene usted es el prestigio que consigue su empresa al convertirse en suministradora de una gran empresa multinacional. Piense en lo que puede suponer para sus ventas futuras tenernos a nosotros en su lista de clientes.»

Este es uno de los «argumentos» principales en toda negociación. Se usa en todos los niveles y en todos los aspectos de la vida. Las empresas no anuncian puestos de trabajo con salarios bajos, sino que hablan de «buenas perspectivas»; los compradores hablan de «pedidos futuros» en los que podrá competir el vendedor; los productores de televisión ofrecen expectativas de «series» o «derechos mundiales», etc. A veces es cierto; estas cosas ocurren. Si lo creemos así, aceptaremos. Pero, por lo general, debemos considerarlas como lo que son: una forma de conseguir que vendamos barato. Si el ofertante tiene 16 años, es nuevo en la venta o es un actor desconocido, puede no tener elección. Siempre podremos poner a prueba estas promesas pidiendo detalles y compromisos concretos.

La mala fama

Esta táctica pretende evitar que hagamos algo en razón de la mala publicidad que conseguiríamos. («¿Quieren ustedes que se sepa que son la única empresa de la zona que no hace regalos en Navidad?», «El departamento de relaciones con el personal va a ponerse furioso cuando se entere de lo que pretende usted hacer», «¿De verdad quieren que se les conozca como el banco que ejecuta las hipotecas de las viudas?») El argumento puede ser muy eficaz, sobre todo si la otra parte tiene conciencia de culpabilidad. La publicidad puede perjudicarnos; si es discutible puede enfrentarnos con un grupo (que quizás no compre nuestro producto) y atraernos la simpatía de otro que sí lo compra. Una importante fábrica de automóviles británica se negó recientemente a readmitir a un despedido a quien se le había encontrado durmiendo durante el turno de noche; la razón dada era que, de hacerlo, se hubiera convertido en el hazmerreír de toda la industria británica.

La medicina

La medicina suele tomarse en pequeñas dosis y no de golpe. Esta es la intención de esta táctica concreta. Parece indicada cuando se propone algo poco agradable. Se espera que, al introducirse la novedad poco a poco y a lo largo de un período relativamente largo, los afectados presentarán menos resistencia. También suele tener éxito. Las empresas suelen ofrecer «escalonar» la introducción de nuevos métodos. Admiten una «reducción natural» en lugar de una reducción obligatoria de plantilla. Los vendedores tratan de quitar una pequeña parte de los pedidos de una empresa a un competidor establecido —empezando quizás a pedir la posibilidad de ofertar algunos pedidos, con la esperanza de que, si se introducen, conseguirán nuevos pedidos—. Los sindicatos van participando gradualmente en las decisiones de la empresa, introduciendo gradualmente métodos más restrictivos de trabajo y avanzando gradualmente hacia un sistema de *closed shop*[1]. Los diplomáticos norteamericanos afirman que los rusos son expertos en la táctica de «la medicina».

LA CONTINUIDAD DE UNAS RELACIONES

Cuando uno de los autores entró a trabajar en el departamento de relaciones laborales de una importante fábrica de automóviles en los años 60, un encargado de taller, ya mayor, le dio una sencilla lección de las normas de relaciones laborales practicadas en la fábrica:

«Comprenderá lo que ocurre aquí —dijo— cuando se dé cuenta de que la norma es: cuando la empresa necesita coches, somos nosotros quienes apretamos las tuercas y cuando no pueden vender los malditos coches son ustedes los que nos las aprietan a nosotros.»

Las negociaciones que van dirigidas a conseguir «victorias» a corto plazo sobre la parte contraria sin tener en cuenta las mutuas relaciones futuras acaban por volverse en contra del vencedor. La fábrica de automóviles en cuestión hace tiempo que ha cerrado.

La siguiente cronología de sucesos ilustrará, en la práctica, el empleo de esta táctica:

Enero de 1984. La empresa reconoce al sindicato como el organismo apropiado para representar a los trabajadores individuales en los casos de disciplina y reclamación.

Junio de 1985. Se amplía este reconocimiento. El sindicato puede representar a grupos de trabajadores en las negociaciones salariales.

Febrero de 1987. La empresa acepta informar a todos los nuevos trabajadores de que el sindicato es el organismo apropiado para representarles en los acuerdos de procedimiento de la empresa y de que ésta no tiene

[1] Sistema de contratación abierto exclusivamente a los miembros del sindicato profesional. *(N. del T.)*

objeciones a la sindicación de los trabajadores. La empresa declara también no tener objeciones a la no sindicación de los trabajadores.

Diciembre de 1987. La empresa acepta que todos los trabajadores incluidos en las categorías profesionales a las que abarca el sindicato estarán sometidos a convenio y que no habrá condiciones especiales para los trabajadores no sindicados.

Noviembre de 1988. La empresa firma un acuerdo de sindicación total y exige a todos los trabajadores que entran en la empresa que se afilien al sindicato. Los trabajadores antiguos pueden acogerse a una excepción de conciencia.

Noviembre de 1989. La empresa acepta un *closed shop* total. Todos los trabajadores, nuevos o antiguos, deben afiliarse al sindicato para poder seguir trabajando; las personas que abandonen o sean expulsadas del sindicato serán despedidas. Se establece una cláusula muy rígida que permite la excepción en conciencia a los trabajadores con mucha antigüedad en la empresa.

Próximos pasos. Eliminación de la cláusula de excepción por motivos de conciencia para los empleados antiguos. Exigencia de sindicación a los proveedores. Exigencia de que todos los mandos intermedios se afilien a la sección de empleados del sindicato. Sindicación opcional para las categorías directivas.

El negociador que se encuentra con la táctica de la medicina tiene que decidir acerca de las implicaciones de lo que propone su opositor. Puede influir en el número de concesiones y en el alcance de éstas. Una estrategia «defensiva» consistiría en enlazar toda concesión con el máximo número posible de matizaciones y excepciones y utilizar éstas en futuras negociaciones. Caer víctima de la táctica de la medicina es tan ingenuo como imperdonable. Por otra parte, hay que recurrir a ella cuando las circunstancias lo aconsejen.

La petición «por mandato»

Los negociadores de una empresa suelen encontrarse con frecuencia frente a una petición «por mandato». Suele presentarse más o menos así: «Los compañeros me han encargado que exija.. y me han dicho que no vuelva hasta conseguirlo.»

Para ilustrar la forma de enfrentarse con este tipo de peticiones, vamos a considerar el ejemplo de una negociación salarial por cuenta de los mandos de control de producción de una fábrica de electrónica. Las negociaciones para fijar el salario anual habían llegado a un punto muerto. La empresa ofrecía 39.000 pesetas de salario base por semana, más una mejora inmediata de la prima por turno que pasaría de 140 a 160 pesetas por hora. La oferta salarial, caso de aceptarse, se aplicaría desde el 1 de enero al 31 de diciembre. La petición por mandato del sindicato era de un mínimo de 40.000 pesetas semanales. La labor de preparación y espionaje de la empresa confirmó la fuerza de la petición entre los trabajadores «mandantes». El negociador inexperto o el salomónico intentaría negociar un compromiso de 39.500 pesetas. El negociador experimentado vería la cosa de otra manera. Empezaría por preguntarse: «¿Cómo reelaborar este trato en un paquete más aceptable ahora que conozco la posición obligada (T) del sindicato, que es de 40.000 pesetas semanales?» La empresa reelaboró su oferta, con el mismo coste que la oferta inicial, ofreciendo:

Salario: 39.000 pesetas a partir del 1-1-84, durante 3 meses.
40.000 pesetas a partir del 1-4-84, durante 12 meses más.

Prima de turno: 144 pesetas a partir del 1-1-84.
150 pesetas a partir del 1-7-84.
160 pesetas a partir del 1-1-85.

Este nuevo paquete permitía a los representantes sindicales volver donde su base informando haber cumplido con el mandato recibido. Los negociadores de la empresa conseguían:

— Un acuerdo con el mismo coste.
— Un acuerdo para quince meses.
— El buen fin de las negociaciones.

Los mandos de control de producción conseguían:

— Su petición de 40.000 pesetas semanales en un plazo de tres meses.
— Las mismas primas de turno ofrecidas inicialmente en el curso de la vigencia del acuerdo.

La petición «disfrazada»

Una de las áreas favoritas para las peticiones «disfrazadas» es la seguridad e higiene. Algunos cínicos han sugerido que la diferencia entre un trabajo peligroso y un trabajo seguro viene a ser de unas 300 pesetas a la hora.

La fase de discusión puede discurrir de esta forma más o menos: «Esta sección de la fábrica es absolutamente heladora durante buena parte del invierno. Es peligroso que el personal trabaje en estas condiciones, con máquinas en movimiento y las manos congeladas. Estamos pensando en pedir una inspección oficial... Algunos trabajadores se han comprado por su cuenta botas forradas y chalecos gruesos para poder hacer bien su trabajo. Pero esto no basta. La empresa tendría que hacer algo.»

El sindicato no podía pedir directamente una prima para ropa especial de trabajo. De hacerlo, estaría admitiendo que la prima era más importante que la temperatura de los talleres. Sin embargo, si los negociadores de la empresa quisieran captar el tema, existe un campo evidente de intercambio.

El óptico de Brooklyn

Existen dos formas de utilizar esta táctica: para subir el precio y para conseguir más por un precio dado. La primera puede quedar ilustrada por la técnica seguida por un óptico de Brooklyn para sacar dinero a sus clientes:

> «Las lentes que usted necesita para su vista vienen a costar 2.000 pesetas (pausa) cada una. Las gafas le cuestan 3.000 pesetas (pausa) más 2.000 pesetas de colocación en el modelo más sencillo, que no está mal si nadie le ve con ellas puestas. Los modelos de vestir cuestan 15.000 pesetas (pausa) más 3.000 pesetas de montaje. Si quiere tener las gafas en cinco días tendrá que pagar 300 pesetas (pausa) por día (pausa); las gafas negras cuestan 1.000 pesetas y las de color 1.500. Las gafas metálicas valen 4.000 pesetas (pausa) y 7.000 pesetas si las quiere doradas (pausa). Las de oro macizo tienen un precio de 15.000 pesetas (pausa) para cada cristal (pausa); las piezas móviles le costarán además 7.000 pesetas cada una (pausa)...»

El óptico va llegando al precio final a base de cobrar algo por toda variable que se le ocurra. Hace las pausas para dar la oportunidad al cliente de cerrar el trato pero, en tanto éste no lo hace, el óptico sigue adelante, para cobrar sin duda el envío y el seguro y, posiblemente, el ajuste de las gafas en el propio domicilio del comprador (con el coste consiguiente del ayudante que lo haga).

Esta táctica acumulativa puede ser utilizada a la inversa por el cliente. En primer lugar, éste establece el precio básico, para añadir a continuación elementos extras, pero conservando invariable el precio.

> «¿Cuál es el precio de una habitación con desayuno?»
> «4.000 pesetas diarias.»
> «Si acepta darnos la cena estoy dispuesto a quedarme dos semanas» *(pausa para el acuerdo)*.
> «Si nos da además la comida, estoy dispuesto a compartir una misma habitación con mis hijos.»

La impertinencia cortés

Se trata de poner nervioso a nuestro acreedor dando a entender que tenemos más fuerza que él. Si le intimidamos con nuestro aire de suficiencia, será él quien crea estar en la posición más débil.

> «Ha llegado el momento de revisar la clasificación de su riesgo en el banco. Por favor, póngase en contacto con nosotros para fijar una cita y discutir el asunto.»
>
> *(Respuesta):* «Encantado de poder discutir la marcha de nuestro negocio con ustedes. Me gustaría recibir su visita en nuestra oficina el próximo día 3 a las 11 de la mañana.»

El arca de Noé

Llamada así porque es tan antigua como el arca y viene siendo utilizada desde entonces. «Tendrá usted que rebajar mucho el precio. Tengo ofertas (señalando una carpeta que está encima de la mesa) que me dan condiciones mucho mejores.» Todos los negociadores comerciales (y sobre todo los vendedores novatos) se han encontrado con esta táctica en alguna u otra ocasión. Se trata casi siempre de un «farol». Si el comprador tiene una oferta mejor no necesita en absoluto negociar con nosotros. Lo más probable es que le hayan ofrecido un precio inferior por un producto también inferior y lo que intenta es asustarnos para que rebajemos el precio. Puede ser también que esté utilizando las ofertas de la competencia para conseguir mejores precios de unos y otros (informando inmediatamente después a nuestro competidor de que hemos ofrecido un precio inferior al suyo y que «le gustaría que revisara su oferta», etcétera. Existen tres posibles contrataques:

1. Farol sobre farol: «En ese caso, le aconsejo que las acepte.»
2. Las cartas boca arriba: «Si me exige que iguale esa oferta, tendrá que enseñármela.»
3. Tomar la iniciativa: «¿Debo entender que usted prefiere mi oferta, pero desea que justifique el precio?»

La subasta a la holandesa (variante del arca de Noé)

Dos empresas que vendían un producto químico industrial idéntico trataban de realizar una venta. Se estableció una subasta a la holandesa (a la baja) en la que cada empresa rebajaba el precio ofrecido por la otra. El resultado fue que llegó un momento en que una de las empresas hizo una oferta muy baja, igualada inmediatamente por la otra. En este momento, la primera se retiró dejando a su competidora realizar la venta con un beneficio mínimo.

Para evitar una nueva situación de este tipo la empresa «perdedora» adoptó la política de «ofertar la última». «¿Le es posible, señor vendedor, tomar una decisión hoy mismo?» «No, todavía tengo que estudiar un poco mejor nuestra oferta, que estoy seguro encontrarán ustedes atractiva. ¿Puedo sugerirles que, entre tanto, consigan el mejor precio posible de la competencia para poder así comparar nuestras ofertas?»

Las amenazas veladas

Las amenazas de sanción pueden ser muy peligrosas. Elevan la temperatura emocional. «¿Es una amenaza?» Si nos dicen esto, es señal de que hemos dicho algo que ha sido tomado de forma provocadora. La respuesta esperada es: «Desde luego que no». Si pretendíamos advertir a la otra parte de las consecuencias de una actuación suya, el desmentido posterior debilita el efecto del mensaje. Pero si este mensaje es considerado como una amenaza, debilita la finalidad de rectificación que perseguimos con él: lo lógico es que no queramos que hagan aquello contra lo que les estamos previniendo.

Hay dos formas prácticas de utilizar eficazmente una amenaza de sanción:

1. «Las consecuencias de un desacuerdo son éstas... Ahora bien, como ninguno de nosotros queremos que esto ocurra, vamos a ver qué podemos hacer por evitarlo.» («¿Qué les parece nuestra nueva silla eléctrica? Claro está que esperamos no tenerla que utilizar nunca.»)
2. En esta otra versión, hacemos que la sanción sea creíble. «Desde luego, es posible que no necesitemos ese componente. Nuestros técnicos están investigando actualmente un método alternativo que, inicialmente, parece ser más barato.» (Esto último es una versión del arca de Noé.)

El enlace

Si nuestro opositor empieza a negociar cierto tema con nosotros en una posición de debilidad, el mejor método que puede seguir es enlazar ese tema en el que es débil con otros en los que sea más fuerte. «Estoy dispuesto a discutir nuestro retraso en el pago de sus facturas siempre que ustedes examinen la baja calidad de algunos de los componentes que nos enviaron la semana pasada.»

Un ejemplo de esta táctica de enlace lo tenemos en las negociaciones entre Gran Bretaña y los demás países de la CEE, en 1984, sobre el tema de la contribución neta británica al presupuesto de la CEE. Los británicos han estado intentando durante varios años reducir sus aportaciones netas, pero algunos miembros no apoyaban estos intentos. Pero coincidió que el fondo de política agrícola comunitario estaba próximo a quedarse sin dinero y necesitaba la decisión unánime de todos sus miembros para aumentar el presupuesto. Gran Bretaña decidió enlazar las dos cuestiones: «Estamos dispuestos a votar a favor del incremento en el presupuesto de la PAC, sí, pero solamente si ustedes dan la conformidad a la reducción de las aportaciones de Gran Bretaña al presupuesto general de la CEE. De otro modo, nos reservaremos el voto en el tema de la PAC y dejaremos que la CEE vaya a la bancarrota.»

Otra variante consiste en enlazar dos temas que, juntos, son inaceptables: «Esta cláusula del contrato, al precio que piden ustedes, me resulta extraordinariamente difícil de aceptar.» Si hemos elegido la cláusula apropiada —posiblemente un punto no negociable— es probable que la otra parte lime el precio. Si el precio es fijo, pueden modificar la cláusula. Si no hacen ni una cosa ni la otra, podemos intentar la «acumulación»: «Bien, con ese precio yo necesitaría una garantía de tres años que cubriera repuestos y mano de obra.»

Perry Mason

Se trata de arrinconar mediante la «lógica». Nuestro opositor nos pregunta si aceptamos que esto y lo otro es cierto. Una vez conseguido el «sí» porque la pregunta está hecha de forma que no cabe otra respuesta, nos hace otra pregunta, como si esta segunda pregunta se dedujera de la primera. Si contestamos que sí de nuevo, pasa a una tercera pregunta tras la cual, si hemos contestado afirmativamente, nos declara «culpables»:

> «¿Admite usted que hubo un paro en el trabajo?»
> «Sí.»
> «¿Admite usted que ésta es una violación de las normas?»
> «Sí.»
> «¿O sea que insiste usted en defender los paros ilegales?»

Por lo general, la cadena de razonamiento que se utiliza es evidente, por lo que trataremos de no responder a estas preguntas dirigidas. Podemos insistir en que había circunstancias excepcionales en todo caso, lo que suele ser siempre cierto, ya que precisamente la otra persona utiliza esta táctica para hacernos caer en la trampa que nos ha preparado. Por la misma razón, no es probable que nos resulte productivo utilizar esta táctica.

Si la otra parte es tan corta de vista que no lo ve, no debiera andar sola por la calle.

Viudas y huérfanos

Esta táctica es tan antigua que podía estar jubilada. Se trata de despertar nuestra compasión relacionando el tema en conflicto con el supuesto efecto que esta situación tiene o tendrá sobre unas minorías especialmente desafortunadas:

> «Si insisten ustedes en pedir esas subidas de salarios, mi mujer y mis hijos acabarán en la beneficencia.»
>
> «El hombre despedido por usted tiene una abuela viuda y sin recursos económicos, su mujer padece asma, su hijita es ciega y su perro tiene la rabia...»
>
> («Sí, pero dinamitó la fábrica...»)

El caos

Una versión más creíble de la táctica anterior es la de pintar un cuadro tan negro que nos sintamos obligados a aceptar los cambios. Con frecuencia, la otra parte cae en la exageración, con lo que resta credibilidad a la táctica. Un líder sindical del profesorado describía la postura de la dirección respecto a sus peticiones salariales como «el día más negro de la historia de la educación... de efectos catastróficos inevitables para los niños...» La dirección aumentó su oferta en un cinco por ciento.

«La pluma en el aire»

En 1977, el entonces primer ministro inglés, James Callaghan, anunció en la conferencia de su partido que el Gobierno estaba a punto de firmar un importante contrato con Polonia para la construcción de barcos por un valor de 100 millones de libras. La noticia tuvo el efecto deseado de reforzamiento de su posición en el Partido Laborista. Pero también le hizo vulnerable a la táctica de «la pluma en el aire». Una vez que Callaghan anunció el compromiso del Gobierno con el consiguiente prestigio, no tenía más remedio que firmar el pedido, de lo contrario perdería prestigio. Pero en el momento de su declaración, los contratos no habían sido aún firmados.

Así, cuando la delegación británica llegó a Polonia a firmar los contratos, los polacos plantearon algunas cuestiones de última hora (con «la pluma en el aire», lista para firmar). Pedían nuevas concesiones financieras de Gran Bretaña, cuyo valor podía estimarse en un millón de libras. La delegación británica se apresuró a solicitar nuevas instrucciones, y las obtuvo: «¡Firmen!».

Anunciar los éxitos antes de tenerlos seguros puede ser peligroso. Nuestro opositor no tiene más que retrasar la firma cuando nosotros estamos celebrando nuestro «triunfo» para sacarnos alguna concesión imprevista. Claro que no deberá exagerar la presión; pero hasta un uno por ciento es un montón de dinero en un contrato de más de 100 millones de libras esterlinas.

La mejor defensa contra esta táctica de «la pluma en el aire» es no dar lugar a ella.

Sí, pero...

En 1971, los gobiernos de Gran Bretaña y Malta iniciaron las conversaciones para la revisión de la renta anual de las bases navales británicas de la isla. Las negociaciones se prolongaron nueve meses. El acuerdo final triplicaba la renta de la base, conseguía para Malta algunos pagos imprevistos de Italia y Libia y, además, le proporcionaba un sustancial «crédito para el desarrollo» por parte de Gran Bretaña. Notable éxito de una pequeña isla que se enfrentaba a una gran potencia con muchos años de experiencia en negociaciones internacionales.

El primer ministro maltés, Dom Mintoff, utilizó con éxito la táctica del «sí, pero...» frente a los británicos (aunque utilizó también el «no, pero...»), quienes no tuvieron otra alternativa que seguir elevando sus ofertas, aunque con gran peligro en ocasiones de llegar a una ruptura total.

La táctica del «sí, pero...» consiste, efectivamente, en decir: «Sí, aceptamos lo que nos ofrecen, pero tenemos este otro problema que deberemos resolver antes de llegar a un acuerdo total.» El «otro problema» es una nueva cuestión no planteada hasta el momento. La táctica puede ser especialmente irritante cuando ha resultado particularmente difícil llegar al acuerdo sobre los temas objeto del «sí, pero...», y ése es su punto débil. En las negociaciones de las bases de Malta el «sí, pero...» aparecía en toda sesión larga y difícil. Mintoff parecía estar de acuerdo en una sesión, pero anunciaba el «pero...» en la misma (ante las protestas de los negociadores británicos) o en la siguiente reunión, cuando los británicos esperaban tratar únicamente los últimos detalles.

Los británicos agotaron sus concesiones y su paciencia, y no acabaron cortando las negociaciones gracias a la intervención de algunos aliados de la OTAN, temerosos de perder la base de Malta. Estas intervenciones animaron aún más a Mintoff a incrementar sus exigencias y su resistencia.

Para evitar la táctica del «sí, pero...» tenemos que hacer todas nuestras propuestas en condicional, conseguir que se presenten abiertamente todas las objeciones, y presentar todos los paquetes con carácter provisional; en este caso, si se presenta un nuevo tema, deberemos replicar con un «no, pero...»: «No, no podemos admitir la introducción de estos nuevos puntos en el paquete a estas alturas pero, si insisten ustedes, estamos dispuestos desde luego a considerarlos dentro de los límites del paquete rectificando nuestras propuestas anteriores.»

En este caso, nuestro opositor se enfrenta con la perspectiva, no de nuevas concesiones, sino de una reelaboración de los temas ya tratados en la mesa. Esta situación es totalmente diferente, aunque nos puede resultar difícil imponerla si las nuevas cuestiones planteadas tienen una auténtica importancia (aunque habría que decir que alguna persona no se ha estudiado su papel si, como en el caso maltés, siguen apareciendo problemas). Pero, por difícil que sea, siempre será una respuesta mejor que seguir premiando la táctica del «sí, pero...» con nuevas e importantes concesiones. Si, por el contrario, somos nosotros quienes utilizamos esa táctica y sacamos algo con ella, nuestro deber es seguir utilizándola una y otra vez hasta que la otra parte deje de hacer concesiones. Lo que es cierto para nosotros lo es también para él cuando utiliza el «sí, pero...».

¡Aquí no hay autoridad!

Si la persona con la que estamos negociando no tiene autoridad para decidir, resultará muy difícil llegar a un acuerdo mientras la «mejor» propuesta nuestra no llegue a quienes tomen la decisión. Puede darse por descontado que la persona con autoridad para decidir no se sentirá satisfecha, en algún aspecto, con nuestra propuesta cuando el mensajero se la transmita. Si se está ansioso por concretar, nos veremos forzados a realizar concesiones adicionales cuando el mensajero regrese con la respuesta.

La falta de autoridad del negociador puede provocar un desplazamiento de la posición más favorable de la otra parte hacia el límite, sin que tenga necesariamente que responder positivamente. La persona que de verdad tiene poder decisorio no está presente, por lo que se ve libre de la presión del contacto directo, sin que nadie pueda forzarle a decir «sí». Al retirar de las negociaciones la autoridad para decidir, nos reservamos la opción de presionar más, con objeto de asegurar el acuerdo.

Por esta razón muchos altos ejecutivos se sirven de agentes que negocian en su nombre, reservándose para sí el derecho a la aplicación del veto. Algunos negociadores exigen tratar solamente con ejecutivos de máximo nivel, a fin de evitar la típica respuesta del «sí, pero...» al presentar su «mejor propuesta» cuidadosamente elaborada.

Cuando hay que negociar con un agente, o con cualquiera que necesita la aprobación de sus superiores, lo mejor que se puede hacer es reservar parte de la posición final propia, ya que, de otro modo, uno se vería presionado a rebasar el límite, y no siempre en poco.

Si se puede hablar solamente con el organillero y no con el mono, adelante con ello siempre que se esté preparado para hacer frente a la presión infinitamente más dura del trato con personas de mayor autoridad. Esto último no debe menospreciarse. Las personas que tienen autoridad, han llegado a los puestos que ocupan porque saben lo que están haciendo. Cuando no se está completamente seguro de uno mismo, lo mejor es llevar a cabo la mayor parte del trato con los «monos» de la otra parte, y procurar que no nos estrujen mucho.

Por encima de todo y antes de embarcarse en la etapa del intercambio, ponga en claro el nivel de autoridad de la otra parte. Tal vez ya no haya remedio si, habiendo llegado hasta el límite de los objetivos que *tenemos que* conseguir, se descubre entonces que nuestros interlocutores tienen que conseguir «la aprobación del consejo» antes de firmar el acuerdo.

*Mamá Hubbard**

Si podemos convencer a la otra parte de que deseamos llegar a un trato y también de que no hay posibilidad alguna de acceder a sus demandas iniciales, es posible que se pueda usar la técnica de Mamá Hubbard y conseguir que reduzcan sus exigencias, a veces en proporciones significativas.

Funciona de la siguiente manera: se les hace creer que están a punto de cerrar el trato (de verdad queremos comprar su producto, por ejemplo), diciéndoles que por más que le damos vueltas no vemos la manera de admitir su precio. Naturalmente, no nos van a creer sencillamente porque les digamos esto, mal negociador sería el que no esperara una objeción al precio en cualquier negociación, al menos como prueba para su resolución.

La técnica de Mamá Hubbard supone presentar pruebas de la imposibilidad de pagarles el precio que piden. ¡Hay que enseñarles que la alacena está verdaderamente vacía!

Enseñémosles unas instrucciones por escrito respecto a los precios que podríamos llegar a pagar. La palabra escrita conlleva más autoridad —sin que las razones sean importantes— que la comunicación oral.

* Mamá Hubbard es un personaje de una rima infantil, de la que se dice que: «La vieja Mamá Hubbard-fue a la alacena-en busca de un hueso para su perro-pero cuando llegó allí-la alacena estaba vacía.» Y así estará la nuestra, si no hacemos algo para evitarlo.

Se puede enseñar el presupuesto total. Así como algún comunicado interno en el que se nos imponga no rebasar por ningún concepto el presupuesto de este año o del siguiente. Y mejor aún, si todo esto se acompaña de alguna instrucción escrita de nuestros superiores en que se limite a una cuantía determinada el posible techo de esta operación. Hay muchas posibilidades de que acepten como válido todo lo que les enseñamos.

Cuando nos enfrentemos a esta técnica de negociación, lo menos que debemos hacer es tener mucha cautela y no creernos todo lo que nos enseñen. Las pruebas, por así llamarlas, pueden ser una «falsificación original» (¡usada en más de una negociación!), preparada especialmente para la reunión usando una copiadora rápida y un procesador de textos.

Hay que buscar otra forma de hacer pasar nuestro precio, tal vez cambiando el «paquete» y no el precio. Ofreciendo alternativas. Pero, ¡cuidado! La técnica de Mamá Hubbard es la más poderosa herramienta de un negociador cuando se utiliza después de una cuidadosa preparación. Es casi irresistible. A veces no nos damos cuenta de que nos la han colocado hasta después, y bien que lo sabemos nosotros que con la misma frecuencia que la usamos nos dejamos engañar con ella.

No podemos hacerlo

Muchas empresas limitan muchísimo a sus negociadores con una variante de la técnica «aquí no hay autoridad». Otorgan autoridad a los negociadores, pero luego les imponen unos límites férreos en las facultades, normalmente estipulados en forma de normas y procedimientos. Puede llegarse a un acuerdo con ellos, ciertamente, pero es un trato circunscrito con bastante rigor a unas decisiones marcadas previamente por una autoridad superior.

Cuando presionamos para conseguir un descuento por cantidad, nos contestan: «Lo sentimos, no podemos hacerlo. Va en contra de la política de la empresa el hacer descuentos en los pedidos, a menos que lleguen a un mínimo de 100.000 unidades por mes.»

Esto significa que tenemos que tragarnos la «política de la empresa» (diga lo que diga) para conseguir el descuento. Nuestro oponente está en una buena posición psicológica, ya que puede mantenerse firme sin incomodidades, cubierto por el escudo protector del veto de algún otro respecto a descuentos por debajo de las 100.000 unidades («No soy yo quien dice que no, sino la política de la empresa»).

Podemos recurrir a esta técnica en casi todas las negociaciones. Siempre es creíble la existencia de una política sobre algo, incluso aunque el razonamiento que respalde la política no sea más que una excusa sin sentido. «Lo siento. No puedo hacerlo. Mi esposa/marido nunca me dejaría aceptar eso.»

Todas las variables pueden tener un límite arbitrario que se les haya impuesto. Al imponer los límites de una política, se restringen las demandas, y las expectativas, tal vez, de la otra parte. La mayoría de las personas están dispuestas a aceptar algo menos si quedan convencidas de que es lo mejor que pueden obtener y que lo que les impide conseguir más es algo que se llama política de la empresa. No debemos minimizar la importancia de que la otra parte salve dignamente las apariencias. Puede llegar a molestarse si le hacemos creer que es sólo nuestra intransigencia lo que le impide obtener algo, mientras que estará mucho más conforme con no conseguir su objetivo si cree que estamos atados por normas de la empresa que restringen nuestras facultades. (Y dejemos claro desde ahora que la razón por la que las empresas restringen las facultades de sus negociadores es fortalecer la resistencia de los mismos a las exigencias de personas como usted, a las que —de otro modo— les resultaría muy difícil resistirse.)

Las empresas verdaderamente grandes gozan de una credibilidad inmensa cuando sus negociadores introducen límites por política y usan el «no podemos hacerlo». Cuanto mayor es la empresa, tanto menor es la impresión que puede causarles nuestra pequeña aportación de negocio en comparación con su cifra de negocios.

Si tienen un límite estricto de treinta días para el pago, una obligatoriedad absoluta de remitir al consejo cualquier operación por encima de los veinte millones, un sistema normalizado de fianzas de cumplimiento, una política de mínimos y máximos respecto a la aplicación de precios, formulación de pedidos, entregas, almacenaje o devoluciones de material, y a esto le añaden una miríada de comités y disposiciones que respetar, acompañado —finalmente— de un hatajo de otras limitaciones (especialmente si están por escrito), no hay mucho que hacer para escaparse de todo esto, a menos que uno sea muy decidido, o muy importante para ellos.

En este punto, queremos hacer dos aclaraciones para animar a los que se enfrentan al «no podemos hacerlo». En primer lugar, los negociadores saben que «montar» un debate sobre la «política de la empresa, del sindicato, o del gobierno» no es nada fácil y que, por lo tanto, la respuesta a esta cuestión dice mucho de nuestra resolución. En estos casos, el «no podemos hacerlo» es una prueba para nuestra resolución. ¡Y esté bien claro que si lo admitimos de buenas a primeras es que tenemos muy poca!

En segundo lugar, los negociadores de las empresas pequeñas tienen amplias facultades, por lo que probablemente estaremos tratando con la persona que tiene autoridad suficiente o con alguien muy allegado a quien la tenga. Allí donde hay facultades, se puede negociar más allá de la «política de la empresa» para llegar a un acuerdo.

En el caso de las empresas grandes, en las que la política de la empresa es probable que esté minuciosamente detallada, tampoco hay que desesperarse si nos colocan un «no podemos hacerlo». Cuanto mayor sea la empresa, menos visibles resultarán los tratos que por separado suscriban los cientos o miles de negociadores cada año. La posibilidad de perder una operación puede hacer que el directivo afectado «se deje ganar la partida» y lleve a cabo con nosotros la operación que va contra la política de la empresa, sin mayores aspavientos, si demostramos firmeza, no dejándonos impresionar por el «no podemos hacerlo».

«Me hago cargo de por qué necesitan ustedes un nivel mínimo de pedido para conceder descuento a los clientes, y no tengo duda de que la mayoría de ellos aceptan esto de buen grado. Sin embargo, mi nivel actual de capacidad de compra está en una situación excepcional, y según transcurra el tiempo, se verá recompensado con creces por el total de pedidos que podremos pasar a su empresa. Por todo esto, necesito que se aplique a todos mis pedidos el máximo descuento.»

Sí/No

Si se preguntara a los negociadores por qué dan tantos rodeos y no son específicos sobre lo que desean, frecuentemente nos contestarán que no desean que la otra parte se enfrente a una situación de «Sí/No». Si se les presiona (como sucede en nuestros cursos), revelan muy pronto que la verdadera razón de no ser específicos es la preocupación de que si se exige a la otra parte una temprana decisión, sea el final de la negociación, se sienta obligada a decir «no». Vamos a examinar esto con más detalle.

Cuando la otra parte se enfrenta a una oferta específica, dos son las respuestas que podemos esperar de ellos: nos dirán o bien «sí», o bien «no».

Resulta interesante considerar que la mayoría de los negociadores tienen auténtico terror a provocar un «no». Aunque si pensaran bien las cosas, se deberían preocupar más de provocar un inmediato «¡sí!».

¿Por qué? Porque si obtenemos un «sí» a nuestra proposición, bien pudiera ser que hubiéramos subestimado la fortaleza de nuestra posición negociadora. Si ofrecemos algo a alguien y esperamos que nos diga «no», para regatear, y en lugar de una negativa nos dan un «sí» inmediato, ¿dónde nos deja esto? ¡Sorprendidos y abochornados, seguro! Si nos dicen «sí» a nuestra oferta de apertura, ¿qué oferta deberíamos haber usado como arranque? Seguramente una que fuera incluso mejor que nuestra posición más favorable.

No hay nada más desmoralizador para un negociador que ver cómo le aceptan su primera propuesta. Y esto sucede en muchos más casos de los que uno se imagina. Al objeto de protegerse contra esto, se necesita «dejar espacio libre» para añadir lo que se pueda.

Por ejemplo, si tratamos de guardar espacio libre para añadir, nuestra oferta de apertura puede ser la siguiente, para el paquete base: «Mi precio en fábrica es 120.000 pesetas la unidad», dejándonos espacio, en caso de que nos sorprendan con un «sí» sin intentar la mínima negociación, para añadir cargos adicionales por la entrega, útiles especiales, embalajes, piezas de recambio, asesoramiento o prácticas, almacenaje, transportes y seguro, etc.

En una variante del añadir (la del «incluir»), responderíamos a un «sí» a nuestra primera oferta, matizándola de inmediato: «Mi precio límite sería 600 millones de pesetas», y luego, si ellos dicen «¡sí!», añadiríamos «con el terreno limpio y preparado para la construcción», y de esta manera se incluyen los costes de limpieza del terreno, seguro de la construcción, y el de una buena valla, sin descartar alguna propuesta imaginativa para pagar la nueva suma neta: «pagados a plazos en diez años».

¿Qué pasa si dicen «no» y resulta que es de verdad? En este caso tendríamos que manejar nuestra oferta al revés, quitando elementos a los que se pudiera renunciar presumiblemente sin comprometer nuestra posición por hacer evidente que estábamos intentando despellejarles. En este caso, deducimos en lugar de añadir.

En una situación contraria, si nos dijeran que «no» a nuestra petición de 600 millones por el terreno, se podría argumentar bien que el precio incluía el terreno limpio de escombros y basuras y adecuadamente vallado (si deseaban más por su dinero), bien lo contrario: prometer rebajar el precio si ellos mismos limpiaban el terreno y se responsabilizaban de la seguridad (si su auténtico problema eran los 600 millones y tenían capacidad suficiente como para la limpieza del terreno, etc.).

Hay otras dos posibles variantes como respuesta a nuestra oferta específica. Pueden decir «sí» pero pensar «no», o decir «no» pero pensar «tal vez...».

Si dicen «sí» pero piensan «no», nos enfrentamos al problema de sonsacarles qué es exactamente lo que impide llegar a un compromiso definitivo. En principio están de acuerdo con nuestra oferta, pero tienen reservas que pueden llegar a cobrar la forma de un claro «no». En este momento, se puede volver a presentar la oferta dándole la forma de una opción entre nuestra propuesta original y una alternativa que tenga en cuenta sus limitaciones.

Hacemos uso de una «deducción» para reajustar nuestra oferta y darles una elección. Si dicen «sí», se puede elegir entre «añadir» (como en el caso de un «sí» espontáneo) o cerrar el trato; si dicen «no» será que hemos elegido la combinación de deducciones menos interesante para ellos, y habrá que dar a la negociación —en este mismo momento— idéntico tratamiento que si hubiéramos recibido un «no» espontáneo. Escuchando lo que tengan que decirnos y la forma en que expresen sus reservas sobre el «sí» original captaremos los puntos esenciales para dar la forma adecuada a la oferta revisada.

Si dicen «no» pero piensan «tal vez», estamos en una buena posición para pedirles una contraoferta. Al contestarnos con una, ya nos están diciendo, efectivamente, qué es lo que ha de contener la oferta que les replanteemos. Se puede cerrar el trato aquí (tal vez dejándonos abierta alguna posibilidad de «añadirles» algo) o continuar con las negociaciones en busca de un «sí» mejor.

En todos los casos se puede mejorar la propia confianza en el trato de las respuestas que recibimos a las propuestas específicas, practicando las alternativas de «adición» y «deducción», apoyadas en una «elección» o una «contraoferta». El ser excesivamente cauteloso a la hora de ser específico, entorpece las negociaciones e indica una falta de confianza con lo que nos traemos entre manos.

Nuestra única advertencia es que ser demasiado específico demasiado pronto puede hacer pensar a la otra parte que no se ha escuchado a lo que tenían que decir respecto a sus necesidades. Pero, en todas las fases de la negociación, la discreción es algo que escasea y que distingue a los buenos negociadores de aquellos que justamente dan la talla, o no llegan a ella. El conocimiento de tácticas, unido a la práctica de las mismas, es una inmejorable ayuda para actuar con acierto en la mayoría de las ocasiones, pues permite ser consciente de que lo que pensamos es único en nosotros y en nuestro estilo de negociar, ha sido y estará siendo experimentado por otros en cualquier otro sitio, y de que las tácticas son sencillamente, un resumen de las mejores prácticas, laboriosamente recopilado en el transcurrir de los años. Debemos, pues, estudiarlas.

Arriba y abajo

Esta es una táctica que puede emplearse para bloquear una demanda inaceptable. Si nos limitamos a decir «no» ante tales demandas, seguimos dejando el saque en manos de la otra parte. La mejor respuesta es una contraoferta «arriba y abajo». Está concebida, como táctica de bloqueo, para forzar a la otra parte a retirar su petición al imponer nosotros una condición inaceptable. El diagrama de la figura 6 ayuda a recordarla.

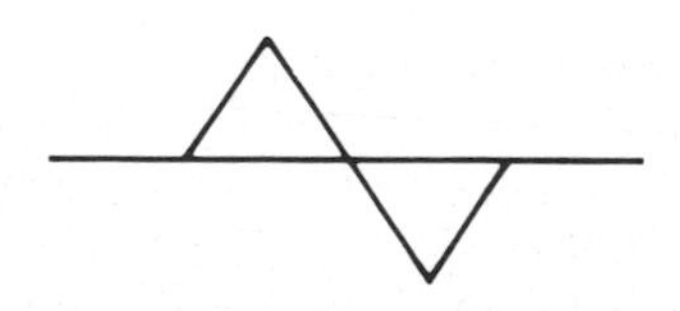

FIGURA 6

Las mejores propuestas del tipo arriba y abajo son aquellas que reflejan las peticiones de la otra parte:

«Deseamos una distribución 75-25 de los beneficios.»
«Y nosotros deseamos una distribución 75-25 del capital.»

«Solicitamos un descuento del 10 % por los pagos hechos dentro de los siete días siguientes.»
«Accederíamos a esto, si ustedes aceptan un recargo del 10 % sobre todos los pagos que lleguen después de los siete días.»

«Exigimos una cláusula de penalización para los pedidos que se suministren tarde.»
«Está bien, a condición de que tengamos una prima por todos los pedidos que nos hagan con retraso.»

«Nos agradaría pagarles una penalización por cancelación, pero debemos advertirles de una reducción del 50 por ciento en nuestras necesidades para el próximo año.»
Esta propuesta no se supone aceptable y, por lo tanto, para seguir avanzando en la negociación deberá ir seguida de una propuesta condicional *realista.*

PUJE EL ÚLTIMO

A veces, las líneas aéreas necesitan alojamiento en los hoteles para los pasajeros, si se produce un retraso inesperado en un vuelo o se pierde la conexión con algún otro. Cuando tienen una turba de pasajeros airados, sobre todo si son de los que por diferencias horarias arrastran sueño, voceando alrededor de los mostradores de facturación o a punto de ser desalojados del avión que ya ocupan, necesitan disponer de una solución rápida y segura mediante una sola llamada telefónica a un hotel. No pueden ponerse a buscar un hotel para los pasajeros cuando se produce la emergencia.

De aquí que las líneas aéreas hagan reservas permanentes de habitaciones en los hoteles próximos a los aeropuertos. Estas habitaciones se mantienen en reserva permanente para la línea aérea y el hotel recibe por ellas un precio preestablecido, tanto si las habitaciones están ocupadas por los pasajeros de la compañía aérea como si no. A cambio de la garantía de disponibilidad de habitaciones (que no pueden ser alquiladas a otros huéspedes), el hotel recibe una cantidad mensual garantizada por estas habitaciones, muchas veces no usadas. La cuestión es qué precio paga la línea aérea por habitación para contar con este servicio, o al revés, qué precio por habitación debe esperar el hotel que le paguen, considerando que tal vez tampoco se ocuparían si se dejaran libres para el público en general.

Las líneas aéreas negociaban el precio de las habitaciones cada una por su lado, hasta que se despabilaron y empezaron a contratar de forma conjunta para todas ellas, a través de un negociador único que les representaba. El resultado es una terrible presión en el precio de las habitaciones, habiéndose llegado en un año ruinoso (para los hoteles se entiende) a una quinta parte de lo que era la tarifa normal para los otros huéspedes.

Una cadena de hoteles nos pidió consejo. Se quejaban de que tras ofrecer un precio al negociador de las líneas aéreas, éste se sirvió del mismo para conseguir que otras cadenas ofertaran precios aún más bajos (el gambito de la «subasta holandesa»), volviendo luego a pedir una tarifa todavía más reducida. ¿Cómo podían parar este abuso?

Les sugerimos que decidieran en primer lugar la tarifa por debajo de la cual preferirían pasarse sin las compañías aéreas, ya que el año anterior habían sufrido una considerable pérdida con ellas, y por otro lado podían haber ocupado más habitaciones con viajeros normales.

A continuación, deberían decir al negociador de las líneas aéreas que podía ir a ver a las otras cadenas hoteleras antes de tratar con ellos, ya que iban a presentarle una sola oferta, que en modo alguno iban a modificar o repetir durante aquel año, y que él tendría que aceptar o no, allí y entonces.

Si trataba de volver a jugársela con una «subasta holandesa», la cadena hotelera renunciaría al negocio de las líneas aéreas durante doce meses, antes que participar en ulteriores negociaciones.

La primera vez que probaron con este método (con muchas reservas al respecto, ya que presumían una fuerte presión en medios de la subasta) el negociador de las líneas aéreas escuchó su explicación, tomó el precio y trató de hacerles una nueva «subasta holandesa», a pesar de los avisos respecto a las consecuencias.

Sin embargo, se mantuvieron firmes, se negaron a aceptar la reserva anticipada para 12 meses de las líneas aéreas y llenaron los hoteles con huéspedes normales en la mejor forma que pudieron y no sufrieron pérdidas por alquilar habitaciones por debajo del coste.

Al año siguiente, el negociador de las líneas aéreas ya le había cogido el tono a la copla y fue a visitarlos en último lugar. Le dieron su precio, que incluía un pequeño margen de beneficio, y él les ofreció un contrato en lista de espera parcial para algunas de las habitaciones.

Esta empresa hotelera consiguió salirse de la subasta, se aseguró algo de negocio rentable y mejoró el nivel de ocupación. Las demás cadenas hoteleras todavía están a la caza, en busca de compañías aéreas, para darles habitaciones por menos de lo que cuesta el servicio.

¡PUEDE TENER EL TRATO QUE QUIERA, SIEMPRE QUE SEA GRIS!

Es ya una larga tradición entre los periodistas (sin base legal en Gran Bretaña) el proteger las fuentes de información que poseen. Se tornan terriblemente irascibles ante cualquier intento de hacerles revelar quién les ha dado la información.

Los editores no quieren ver a sus redactores atacados por estos motivos, pero tampoco quieren envolver a su periódico (y de rechazo a los propietarios del periódico) en perjudiciales pleitos en defensa del derecho defendido por el personal de redacción, que se niega a dar nombres. Naturalmente, los periodistas no lo ven de esta manera, en absoluto, y consideran cualquier infracción de esta «norma», que considera a los informadores tan protegidos por el secreto como el penitente en un confesionario, una peligrosa intrusión en la libertad de prensa.

En un caso reciente, un periodista investigador, recurrió a los servicios de alguien para «pinchar» el teléfono de determinada persona y grabar las conversaciones, lo cual, desde el punto de vista del periodista, facilitaba pruebas del delito, aunque era un delito en sí el poner escucha a un teléfono en la forma en que se hizo (solamente el Ministerio del Interior tiene este privilegio).

La víctima demandó que los tribunales exigieran al periódico que revelara el nombre de la persona que le había «pinchado» el teléfono. En principio, el editor pensó que no merecía la pena pleitear y estaba dispuesto a dar el nombre del pincha-teléfonos, máxime considerando que la negativa podría llevar a la cárcel al periodista por desacato al tribunal. Debido a que el tema en cuestión era una interferencia ilegal de un teléfono, no creía que el asunto en cuestión fuera algo tan claro como la protección normal de las fuentes de información de los periodistas.

El periodista afectado, y su sindicato, se sintieron ofendidos por esta interpretación, recibieron asesoría legal y bombardearon al editor con protestas, amenazando con paralizar el periódico. El periodista estaba dispuesto a ir a la cárcel, en defensa de la fuente de información.

El editor reconsideró su posición, dio marcha atrás en su decisión de revelar el nombre del pincha-teléfonos y publicó un manifiesto que salvaba las apariencias e hizo que viviera la paz. Dijo, a guisa de explicación de su vuelta en redondo: «Todo en esta vida es una variedad de un tono de gris. Y los periodistas me han persuadido de que este tono de gris en particular era diferente del que yo había creído que era.»

Posdata: el tribunal también llegó a una fórmula de compromiso. Negó al periódico el derecho a publicar las conversaciones telefónicas que había grabado ilegalmente —protegiendo los derechos legales de la víctima—, y rehusó ordenar que se informara del nombre del pincha-teléfonos —protegiendo la fuente de información del periodista—.

Capítulo 12

CÓMO HACER FRENTE AL «PUNTO MUERTO»

12.1 **Introducción**

Unas veces se gana y otras se pierde. Cierto. Pero, ¿cuántas negociaciones de las que se han perdido, podrían haberse «salvado», solamente con haber hecho algo de forma diferente? En este capítulo vamos a contemplar el auténtico problema de estas situaciones en las cuales es imposible avanzar o retroceder en la negociación y que, generalmente, son conocidas como «punto muerto», al tiempo que buscamos respuestas para preguntas importantes, como: ¿Cuál es el efecto de la entrada en «punto muerto» en los negociadores? ¿Cómo se puede hacer frente a esta situación? ¿Y, cómo se puede salvar el escollo del punto muerto para llegar a un acuerdo, incluso con los más irascibles de los oponentes?

No hay duda de que la posibilidad de entrar en punto muerto es una amenaza omnipresente en toda negociación. Puede saltar en cualquier momento y paralizar la relación entre las partes, a veces de forma permanente. En el mejor de los casos, el entrar en punto muerto retrasa el proceso negociador hasta que se salve la situación; quizá mediante el replanteamiento total de una posición negociadora o la aplicación de sanciones por una o ambas partes; tal vez por la introducción de algún elemento nuevo en las propuestas, que mitigue, aunque no solucione, las dificultades que están originando el punto muerto.

El miedo al punto muerto actúa también como un amortiguador sobre los negociadores. Con toda certeza, es la causa que, por sí sola, induce más a los negociadores inexpertos a otorgar concesiones en lugar de «discutirlas», o a decir «sí» demasiado pronto, cuando deberían haber dicho «tal vez...» (o incluso «no»).

En las relaciones laborales, el punto muerto puede ser también un resultado apetecido por aquellos que prefieren las huelgas a la negociación —«la lucha» resultante y la publicidad relacionada con ella, hacen mucho más por la imagen del «militante» que por los intereses de los miembros del sindicato.

Las relaciones internacionales tampoco están a falta de personas que tienen más interés en entrar en punto muerto que en la negociación. La imagen del militante que defiende los intereses particulares de su patria, sean éstos los precios agropecuarios, los derechos de pesca, las importaciones, los derechos de acceso, los derechos de minería, o los que sean, no se considera negativa para el futuro electoral de un político. Puede hacer maravillas caso de una capaña electoral desinflada, o para subsanar un poco de impopularidad en el entorno próximo, el presentar una imagen de defensor del pueblo ante las ingerencias de los «extranjeros» y llamar la atención de los medios internacionales.

La práctica del punto muerto perfectamente montado en escena, es un acontecimiento bastante corriente en muchos tipos de negociación, incluyendo los tratos comerciales. Puede surgir porque los intereses *internos* de la otra parte quedan mejor servidos con la aparición del punto muerto. Puede surgir porque, haciendo real la amenaza del punto muerto (entrando aparentemente en esta situación en lo que concierne a un punto concreto), se pueden obtener concesiones de otro modo inalcanzables. También puede surgir porque ambas partes entren atropelladamente en esta situación, de forma no intencionada, y una vez dentro de ella, no sepan cómo reanudar la negociación de nuevo.

Este último caso es de especial interés en este capítulo, aunque el conocimiento del punto muerto provocado sea especialmente importante, si nunca lo hemos padecido antes (o no lo hemos reconocido en lo que es, cuando lo hemos experimentado).

12.2 **¿Qué es el punto muerto?**

El punto muerto detiene el proceso negociador. No es posible movimiento ulterior alguno, hasta que el punto muerto haya sido resuelto. Una o ambas partes están firmemente determinadas a no hacer ninguna concesión sobre cierto tema en particular y a demostrar su determinación rehusando toda instancia que no sea la claudicación de la otra parte en dicho tema.

Una negociación puede entrar en punto muerto antes de comenzar si un tema importante que no está sujeto a compromiso (por la razón que sea) domina sobre todos los demás. Si éste continuara siendo el caso, las negociaciones no podrían siquiera iniciarse.

Un ejemplo de esta situación es, con toda seguridad, la no existencia de negociaciones entre el gobierno israelí y la Organización de Liberación Palestina. Aparte de la sanguinaria relación entre las dos partes (y a menos que se esté del lado de uno u otro bando, es difícil apreciar lo que cada una siente hacia la otra, como resultado de años de mutuas atrocidades), hay una distancia aparentemente insalvable, entre ellas a cuenta del reconocimiento o no del estado de Israel. La OLP niega el reconocimiento a Israel, hasta que sus reclamaciones de territorios sean atendidas (y algunos palestinos parece que desean seguir con la política de no reconocimiento, incluso aunque esto signifique que sus reclamaciones territoriales no vayan a ser atendidas nunca por Israel); y, mientras tanto, Israel se niega a reconocer a la OLP como el «único y legítimo representante del pueblo palestino» y a negociar con ellos, hasta que la OLP reconozca el derecho de Israel a existir (y algunos israelitas parece que desean no otorgar nunca su reconocimiento a la OLP, incluso aunque esto signifique inquietud permanente y riesgo continuo de conflicto bélico en sus fronteras).

Las negociaciones pueden entrar en punto muerto a cuenta de un punto que aparece inamovible en uno o ambos bandos. Las negociaciones sobre la introducción de la nueva tecnología en el sector de las artes gráficas pueden entrar en punto muerto, no por la introducción de la tecnología en sí (que puede ser aceptable, según a qué costo), sino por un tema secundario tal como la afiliación sindical de los empleados que manejan la nueva tecnología.

Por ejemplo, con la tecnología corriente (que lleva unos cuantos años de uso) no se requiere un linotipista experimentado para preparar los manuscritos para impresión. Cualquiera que sepa manejar un teclado puede hacer el trabajo bien —de hecho, los periodistas entregan los originales de prensa casi preparados para la estereotipia, sin la ayuda del linotipista. Las negociaciones para introducir la tecnología en el sector entran con frecuencia en punto muerto por razón de cuáles han de ser los dedos que operen sobre el teclado: los de los altamente especializados, o los de los periodistas, las mecanógrafas expertas o de unos nadie-sabe-quiénes «reciclados».

La forma más normal de punto muerto es, naturalmente, la firme manifestación de un «no». El miedo a escuchar un «no» hace que muchos vendedores lleguen a extremos inauditos para arrancar un «sí», fundamentalmente haciendo toda clase de concesiones precipitadas a la vista del silencio sepulcral del comprador. La experiencia con los vendedores y la propensión de éstos a hacer concesiones cuando se enfrentan a la aparente hostilidad o indiferencia de un comprador, ha enseñado a este último a actuar en la forma que le proporciona el máximo de concesiones.

Debido a la frecuencia con que actúan dentro de esta línea, muchos vendedores piensan que ésta es la verdadera naturaleza de los compradores y de este modo el miedo al punto muerto se perpetúa por sí mismo, llevándoles a un comportamiento condicionado por la búsqueda del «sí». El círculo tiene tanto de vicioso como de innecesario.

El punto muerto puede degenerar en francas hostilidades y, en casos extremos, las partes llegan a matarse. La «oferta que no se puede rechazar» puede llegar a serlo en su más estricto significado, si la alternativa es verse con la tapa de los sesos levantada. Más frecuentemente (y a menos que se negocie con tipos como los de la película *El padrino*), las hostilidades que surgen del punto muerto suelen significar la ruptura total en la relación comercial, industrial, internacional o familiar de las partes.

No son pocos los antiguos clientes que rehúsan mantener las relaciones comerciales (y que tratan de animar a otros a seguir un comportamiento similar mediante cotilleos e insinuaciones). La causa exacta de la ruptura puede ser, en algún caso particular, un solo acontecimiento (la negativa a modificar la forma de pago convenida, por ejemplo) o una serie de ellos (saldos atrasados pendientes de pago, fallos en las entregas, altercados frecuentes respecto a detalles, negativas a la concesión de cambios en una línea completa de artículos, o sencillamente una falta de confianza general).

El punto muerto tiene sus costes.

El primero, y más obvio de todos ellos, es el hecho de que se ha desperdiciado todo el tiempo que hasta entonces se ha dedicado a negociar. El tiempo malgastado en una negociación no se puede invertir provechosamente en otra.

Si la negociación es larga, como, por ejemplo, un contrato importante con un gobierno extranjero, especialmente con un gobierno comunista, prolijo donde los haya, el tiempo malgastado por razón del punto muerto, no es cosa baladí para los perdedores. De hecho, la propia circunstancia del tiempo consumido hasta llegar al punto muerto ha empujado a algunas empresas a aceptar condiciones que de otro modo hubieran rechazado por razones comerciales, con objeto de rescatar algo del «naufragio» (los gobiernos comunistas provocan estas situaciones con mucha frecuencia, y ¿por qué no iban a hacerlo si han descubierto que las empresas occidentales se desmoronan cuando se enfrentan a la amenaza del punto muerto?).

El siguiente coste obvio es el coste de no llegar a un arreglo o acuerdo. Los costes aquí son de dos clases: los costes financieros a largo plazo para ambas partes, puesto que cada una de ellas pierde la oportunidad de una fructuosa relación, y los costes inmediatos de tener que soportar un período de sanciones mutuamente impuestas, tales como huelgas, cierres patronales, embargos y guerras.

12.3 El miedo al punto muerto

El mejor consejo que podemos dar a los negociadores que se preocupan con la posibilidad de enfrentarse al punto muerto es: *¡relájense!* Son demasiados los negociadores que se ven intimidados por la perspectiva del punto muerto. Le dan demasiada importancia en sí y permiten que condicione su comportamiento, antes incluso de saber qué desea la otra parte, o la intensidad con que lo desea.

Cuando se trabaja en una empresa que domina el 20 por ciento del mercado del producto que vende (y si no se sabe cuál es la participación de mercado de nuestra empresa, no se debería estar trabajando en ella), se entiende que uno de cada cinco posibles compradores ya está comprando los productos de nuestra empresa. Por otro lado y siendo realista, no es muy probable que se consiga el 100 por cien de aceptación en las ofertas que se hagan en esta situación, a corto plazo. De aquí se infiere que vamos a enfrentarnos con puntos muertos en cuatro de cada cinco casos, como promedio. Se recibirán cuatro «noes» por cada «sí».

Ciertamente, puede llegarse al súmmum como negociador de ventas y conseguir cinco pedidos de cinco visitas, o al menos esto es lo que el jefe de ventas tratará de imbuirnos (tiene que hacerlo, es su trabajo). Pero, bajando de las nubes y pensando fríamente las cosas, se cae en la cuenta de que no es probable que podamos cambiar la tendencia del mercado, de la noche a la mañana, levantando la participación en el mercado de la empresa muy por arriba del 20 por ciento, en el territorio que se nos haya asignado, si esa era la situación en la que se encontraba cuando nosotros empezamos.

En consecuencia, márquese un nivel de logros por debajo de las fantasías del jefe de ventas. Si la cuota de mercado es del 20 por ciento, su nivel mínimo de logros tiene que ser el 20 por ciento. De manera que, relájese. Esté preparado para cuatro puntos muertos de cada cinco contactos. Si lo hace, verá cómo gradualmente mejora el nivel, dejando atrás el 20 por ciento para acercarse al 30 por ciento, pero nunca de una sola tacada.

Si se está preparado para el punto muerto, en lugar de estar atemorizado por él, se gana aplomo y se obtiene una mayor confianza en la propia situación. La confianza en la presentación engendra confianza en el manejo de las propuestas, en el dominio del lenguaje típico del intercambio (si usted..., nosotros...) y en la disposición a decir «no» ante aquellas proposiciones que hicieran que tanto usted como su empresa, salieran perjudicados.

Si se está tenso por la preocupación de un posible «no», la tensión resultará evidente durante toda la relación que se mantenga con la otra parte. El modo como se actúa en la fase de discusión denuncia el esfuerzo, inducido por el pánico, de evitar soliviantar a la otra parte. Una vez que nos hayan tomado las medidas durante la discusión, serán ellos los que incrementen su confianza para ablandarnos con sus propuestas y rematarnos finalmente con un desvergonzado intercambio condicional.

Y, así, en lugar de un acuerdo provechoso (de los que dejan comisión), tal vez se consiga un pedido a los precios y condiciones más bajos de su empresa (o por debajo de ellos), y esto nos deja con el sueldo base y encabezando la lista de los tipos con los que desea hablar el jefe de ventas. Sin contar con lo que es aún más probable: que no se consiga pedido alguno, ya que los compradores prefieren tratar con empresas que tengan más confianza en sus productos y encarguen la venta de los mismos a personas que tengan más fe en sí mismos de la que nosotros habremos demostrado.

Si hay una causa que, por sí sola, genere ofertas incondicionales, especialmente de las del tipo de «obsequio sin recargo», encaminadas a crear una «buena disposición» en la otra parte, puede decirse que es el miedo al punto muerto. Algunos negociadores, equivocadamente, creen que se entra en punto muerto porque la otra parte no les aprecia lo suficiente, o porque los compradores aprecian más a sus competidores. Nada es más engañoso que pensar que se van a evitar los puntos muertos iniciando una cadena de concesiones para ganar la buena disposición de nuestro interlocutor, o arrastrándose en busca de su amistad.

No pierda de vista la posibilidad del punto muerto. No se puede ganar siempre, a menos que se tenga un monopolio, y si se tuviera no haría falta negociar.

Mucho de esto es igualmente cierto en las relaciones laborales. Si se indica, intencionadamente o no, que se desea a toda costa evitar el punto muerto, seguramente, no pasará mucho tiempo sin que la otra parte aprenda a apoyarse en la posibilidad del punto muerto con objeto de lograr concesiones.

Es bien sabido que los negociadores sindicalistas inexpertos introducen la posibilidad de sanciones (huelgas, etc.) demasiado pronto en las negociaciones, y lo repiten muchas veces durante las sesiones. Con ellos siempre se está en una situación de «y si no...», sea explícita o implícita. Los directivos inexpertos reaccionan ante estas amenazas bien desmoronándose, bien con una fanfarronada del mismo estilo —lo que es igualmente malo—, cuando la mejor forma de actuar es comparar la credibilidad de la amenaza con el juicio que ellos mismos se hacen de las probabilidades de que la amenaza se lleve a cabo (basado, naturalmente, en su concienzuda preparación). En realidad, no se deberían dejar intimidar por el miedo al punto muerto. Deberían relajarse más y preocuparse menos, llevando adelante la negociación como un ejercicio de argumentación y no de concesión.

¡Relájese y conseguirá que se conformen con menos!

12.4 Evitar la provocación

Los puntos muertos son algo tangible. Suceden en muchas negociaciones, aun a pesar de todos los esfuerzos por parte de los negociadores. Algunos de estos puntos muertos son puramente temporales, pero otros pueden ser permanentes.

¿Por qué se presentan los puntos muertos? La respuesta más sencilla es: porque las personas los provocan. Tienen intereses, inhibiciones, temores, agrados y desagrados, prejuicios, opiniones, ambiciones, culpas y conciencias, buenas y malas maneras, esperanzas, actitudes y una amplia gama de comportamientos. Todo esto se va entretejiendo en el transcurso de los acontecimientos y moldea la respuesta a los compromisos potenciales que podría producir un acuerdo.

El simple hecho de que esté teniendo lugar la negociación ya es en sí, de cualquier manera, un gran paso hacia un acuerdo mutuamente convenido, y esto no debe infravalorarse. La negociación es solamente un modo de arreglar un conflicto. Las partes podrían haber elegido otra u otras alternativas distintas a la negociación: podrían haber buscado una reparación vía legal, una demostración pasiva o violenta, el boicot, un arbitraje, la huelga —total o de brazos caídos—, la ocupación, el llamamiento a la conciencia pública, la normativa legislada, etc. Luego, desde el momento en que están negociando, es que han renunciado (al menos de momento) a cualquiera, o a todas, de las anteriores alternativas.

Una vez que las partes convienen en entablar negociaciones, entran en un proceso único que normalmente no incluye el conflicto abierto como medio de llegar a un arreglo. (Aunque no siempre, ya que muchas negociaciones entre trabajadores y empresa se celebran con la firme insistencia de la dirección de que no actúan bajo la presión de la huelga, el conflicto a veces es inevitable; lo mismo sucede en el plano internacional, cuando lo mejor que puede conseguirse es un alto el fuego.) Para empezar, puede resultar un poco ingenuo el exigir que las partes negocien con buena fe, pero hasta donde el ambiente de las negociaciones pueda implicar una buena fe, es más probable que el punto muerto pueda evitarse o resolverse con mayor prontitud si llegara a materializarse.

Por esta razón, no deja de ser un buen consejo el no hacer nada que pueda exacerbar imputaciones de mala fe por la otra parte, cuando se esté negociando un tema que probablemente lleve a un punto muerto debido a que las posiciones más favorables de ambas partes estén muy distantes, y sean remotas las posibilidades de encontrar pronto el medio ncesario para hacerlas coincidir. En otras palabras, no conviene mostrar una conducta provocativa, o para ser más precisos, lo que ellos considerarán conducta provocativa.

Las acciones de naturaleza provocativa pueden evitarse mientras la cuestión se está arreglando por medio de las negociaciones. El *statu quo,*

LA CONDUCTA PROVOCATIVA PROVOCA

Siempre que los ánimos se enfrían en el próximo oriente, los extremistas de uno u otro bando llegan a extremos inauditos, para volver a enredar las cosas. El ametrallamiento de unos dirigentes moderados de la OLP, por unos asesinos desconocidos ha tenido como efecto que los restantes dirigentes pasen de una actitud de posible reconciliación con Israel a la de una nueva, continuada y feroz oposición.

El gobierno israelí ha anunciado a los cuatro vientos su política de nuevos asentamientos en el área occidental, siempre que parecía que los árabes se disponían a aceptar algún tipo de tratado que les diera autonomía sin soberanía. Los nuevos asentamientos inflamaron la opinión de los árabes e hizo imposible que la OLP alcanzara ningún tipo de compromiso.

Hay algunas pruebas, escasas y controvertidas, de que las autoridades militares japonesas autorizaron el ataque a Pearl Harbour, en 1941, sin la autorización del gobierno, con objeto de evitar un arreglo negociado entre los gobiernos japonés y norteamericano.

Más recientemente, se han desatado muchas especulaciones acerca de la coincidencia en el tiempo entre el hundimiento por la armada inglesa del buque de guerra argentino *Belgrano,* y la presentación de las propuestas de paz de Perú para acabar con la ocupación por las fuerzas argentinas de las islas Malvinas. Los críticos argumentan que la primer ministro Thatcher ordenó deliberadamente el hundimiento del *Belgrano* con objeto de obligar a los argentinos a oponerse al plan de paz peruano, permitiéndole, de este modo, arreglar el conflicto por la fuerza de las armas. (Las pruebas que apoyan esta opinión, debe advertirse que son altamente selectivas y en modo alguno están del todo claras; además, una gran parte de ellas permitiría en los momentos actuales una interpretación diferente y mejor intencionada.)

o el *statu quo ante,* pueden mantenerse, aunque la determinación de cuál de ellos vaya a prevalecer dependa en gran manera de la relación de poder entre las partes. Si surge un contencioso de tipo comercial, digamos, sobre los derechos del diseño de un producto, no conduciría a ningún acuerdo el que la parte acusada de piratería continuara publicitando la creación de una red de distribución para la venta del producto en cuestión mientras las negociaciones estuvieran en marcha.

Qué constituye una provocación es algo que deciden las partes afectadas. Si están en total desacuerdo con una acción en concreto, ésta puede llevar las negociaciones a un punto de ruptura o provocar algún otro tipo de respuesta. Los acuerdos de alto el fuego en una guerra, frecuentemente se interrumpen en base a lo que una de las partes entiende como una infracción por parte de la otra (el Líbano viene siendo desde hace mucho tiempo un caso típico en que la guerra es una actividad normal entre los alto el fuego).

El mejor medio de detectar lo que los interlocutores perciben es ellos mismos, naturalmente, y un estudio cuidadoso de las posiciones de la otra parte respecto a los temas contenciosos, proporciona suficientes indicios sobre la forma en que probablemente perciban nuestras acciones. Pero si todavía queda alguna duda, ¡preguntémosles!

Si se deben emprender acciones específicas en áreas que puedan llevar a un punto muerto, se deberá ser entonces tan abierto como se pueda respecto a las propias intenciones y a las limitaciones de lo que se propone. Si estuviera en disputa el inquilinato de un edificio, se debería informar cuidadosamente a la otra parte de por qué se están cambiando las cerraduras (seguridad, llaves perdidas, mantenimiento del contrato, etc.) o quitando el tejado (reparaciones necesarias, etc.). De otro modo, ellos podrían sacar la conclusión de que se pretendía abandonar las negociaciones, en busca de alguna otra solución.

12.5 El compromiso público

Los contenciosos son noticia. Hay que enfrentarse a este hecho y tener en cuenta sus consecuencias durante las negociaciones. Cuanto más expuesto se esté a la mirada pública, tanto más difícil será llegar a un acuerdo.

Es más probable entrar en punto muerto cuando cada una de las partes ha buscado la notoriedad pública pregonando su posición más favorable, especialmente si ambas han acompañado su aparición en público con un firme e irreductible discurso en el que han alardeado de que antes harían un viaje de ida y vuelta al infierno que ceder un solo palmo de terreno.

Los dirigentes sindicales, los políticos y las parejas a punto de divorciarse son extremadamente proclives a la notoriedad pública. Los dirigentes sindicales hablan a los miembros de sus sindicatos y al público en general, en la confianza de que con sus bravatas públicas van a intimidar al otro bando haciéndole creer que los sindicatos prefieren un agrio enfrentamiento antes que no mantener las apariencias. Los políticos siempre están contactando con el público y esperan, de este modo, intimidar a otros políticos (y otros gobiernos) y convencerles de lo serios que son ellos respecto a sus posiciones más favorables. Con las parejas, naturalmente, lo que pasa en todos los casos es que cada uno trata de poner de su lado a la familia y hacer la vida insoportable a los que permanezcan neutrales o se unan al bando opuesto.

Buscar la notoriedad pública es malo, casi siempre. Hace difícil llegar a un arreglo negociado, porque una postura fuerte y pública, basada en una posición más favorable, impide un temprano movimiento hacia una posición límite. Al negociar, no es la postura inicial aquella con la que realmente esperamos terminar, y cuanto más hagamos del dominio público nuestra posición inicial, tanto más difícil será modificarla, y si no lo hacemos, habremos entrado en un punto muerto.

Incluso durante el proceso de negociación en sí, un compromiso demasiado fuerte respecto a la posición de partida, si se mantiene en exceso, provoca un punto muerto si la otra parte llega a convencerse de que sus interlocutores no están dispuestos a cambiar de postura en absoluto. En los primeros capítulos sobre las ocho fases, hay información respecto a lo que conviene hacer en estos casos, por lo que no es cosa de repetir ahora aquellos planteamientos.

12.6 **No ponga las cosas peor**

Si la otra parte no confía en nosotros, no sirve de ayuda, en nuestro caso, hurgar en el pasado preguntando *por qué* no confían en nosotros. Indagar el porqué es lo peor que puede hacerse, especialmente cuando hayan repetido sus razones en anteriores sesiones u ocasiones. Para apartarse del punto muerto, hay que desplazar la cuestión a otros derroteros, sin indagar los *porqués,* y buscando los *cómos:* ¿Cómo podemos evitar la falta de confianza, para futuras ocasiones? ¿Cómo podemos asegurar que esto de lo que ustedes se quejan no se produzca de nuevo? ¿Cómo podemos cumplir esas exigencias mínimas de ustedes para seguir haciendo negocios? ¿Cómo podemos asegurar que no se vuelvan a sentir amenazados por las nuevas disposiciones? —etcétera, etcétera.

Si nos concentramos en los *porqués,* nos convertiremos en chivos expiatorios y espectadores de una andanada de mutuas inculpaciones y recriminaciones que enconarán todavía más el punto muerto, en lugar de desbloquearlo. Sólo una raza especial de negociadores puede permanecer sentada escuchando impasible una tirada de torpes infundios acerca de sus fallos, e incluso un santo se vería impelido a sentir la inevitable necesidad de defender su actuación si se viera atacado sin razón alguna por algo que nunca hizo ni jamás pretendió hacer.

Si se llegara a un punto muerto en la fase de discusión, ya sabe lo que no debe hacer. Sobre todo, corte el enfrentamiento con alguna propuesta positiva, y la pregunta acerca del *cómo* es una buena forma de hacerlo.

No queremos decir que esto sea fácil (si lo fuera, usted no valdría lo que le pagan, o lo que deberían pagarle). La tensión que suele darse en una situación de punto muerto suele acumular excesivas presiones emocionales en uno y en los oponentes. La etapa de discusión es siempre la que está más asociada con el punto muerto, puesto que si no se está discutiendo, pocas probabilidades hay de llegar a un punto muerto. Si se demuestra falta de respeto, confianza o credibilidad en ellos y en sus manifestaciones, se perdurará en el punto muerto, o lo que es peor, se acentuará el mismo.

De aquí se infiere que debemos evitar las preguntas cortantes («¿Usted cree que siempre tiene razón?»), las impertinentes («¿Hasta cuándo va a estar dando bandazos?»), las inquisidoras («¿Cómo pretende ser inocente, cuando admite responsabilidad?»), del tipo «búmeran» («¿No le parece que se ha marcado un farol, una vez más?») o de tipo capcioso («¿No haría cualquier cosa por salvar su reputación?»), ya que pueden volverse contra nosotros y, de cualquier modo, empeoran la situación.

Hagamos que las cosas se desarrollen a favor nuestro, formulando preguntas de tipo abierto. Escójanse preguntas cuya contestación exija más de una palabra («sí», «no», «nunca», etc,). Formulemos una pregunta que haga que la otra parte hable de sus percepciones y puntos de vista —cuanto más tiempo les lleve el contestar, menor será el nivel de hostilidad, siempre que nosotros no les interrumpamos o empecemos a atacarles (incluso de forma no verbal, con movimientos displicentes de cabeza, o mirándoles con enojo, o no prestándoles atención de forma notoria).

12.7 **En busca de un orden del día**

Los diplomáticos británicos de la vieja escuela ingeniaron un procedimiento muy útil para salir del punto muerto, el cual es hoy en día bastante normal en todo el mundo. Era el método de los «puntos». Cara a cara, las dos partes en agria confrontación y total punto muerto, intentaban desplazar las negociaciones iniciales, apartándolas de los detalles de los temas en disputa, y llevándolas hacia los posibles «puntos» que pudieran conformar el orden del día de una futura discusión.

Las partes no tenían por qué estar de acuerdo respecto a aquello en lo que estaban en desacuerdo. Todo lo que se les pedía era que aceptaran discutir los asuntos de conformidad con un orden del día. Una vez que las partes daban su conformidad a la lista de puntos, ya se había creado la atmósfera adecuada para continuar las negociaciones.

Ninguna de las partes —ambas lo hacen— da el primer paso hacia la finalización del punto muerto al convenir un orden del día común. Muy bien puede haber problemas respecto al orden de los diferentes puntos que tratar, así como con la lista de puntos misma. Una de las partes quizá desee que se dé prioridad a un punto, mientras que la otra prefiera dar prioridad a otro. Un bando puede querer que se incluya algo que el otro desea excluir. En las negociaciones anglo-argentinas, y antes de que pudiera tener lugar ningún otro tipo de negociación, tuvo que tratarse el tema de si la soberanía sobre las islas Malvinas era un punto adecuado para el orden del día. Y hasta que no se encontró una fórmula, no se pudo seguir adelante.

Si las partes convienen en que es posible establecer un orden del día y si, una vez establecido uno que sea satisfactorio para todos, se ponen de acuerdo en que el orden del día puede servir de base para una negociación, están en vías de salir del punto muerto, puesto que si contestan «sí» a la consulta de si se puede continuar en esa dirección, ya están diciendo de una forma práctica que desean seguir en tal dirección.

12.8 **Preguntas eficaces**

Ya hemos dicho en varias ocasiones que las preguntas son una herramienta de negociación extremadamente útil. Y que los negociadores torpes y mediocres se olvidan de ellas con mucha frecuencia. El negociador eficaz usa gran parte del tiempo en formular preguntas, *escuchando cuidadosamente las respuestas.*

Las partes inmovilizadas en un punto muerto suelen necesitar un salvoconducto para salir de las posiciones más favorables. Se resistirán a abandonar la relativa seguridad de las posiciones de apertura. Para persuadirles a que realicen cualquier movimiento se requiere su permiso (el reverso de su veto).

Pidiéndoles su conformidad con un orden del día, en forma de «podríamos / desearíamos / deberíamos trabajar según este orden del día», estamos solicitándoles su permiso. Si por cualquier razón desearan reservarse el permiso, habría que volver a la negociación del orden del día. Todo esto puede consumir mucho tiempo, pero no hay otro camino si se desea llegar a un trato. Se les puede pedir, bien sugerencias para perfeccionar el orden del día, bien la exposición de sus puntos de vista. De cualquiera de las formas, deben escucharse sus respuestas y decidir si se incorporan a un orden del día revisado.

Si están conformes en trabajar según el orden del día, pueden hacerse más preguntas para hacer progresar la negociación. Si nos están reclamando daños y perjuicios por algo que alegan les hemos hecho, en lugar de discutir la oportunidad de su derecho a tales daños, y sin perjuicio de que se reconozca el tal derecho, se les podría preguntar: «¿Qué tipo de daños solicitan?»

En efecto, estamos intentando llevarles del sentimiento de perjuicio que tienen al remedio que desean proponer. Si todavía no tuvieran en mente un remedio, se les puede pedir que cuantifiquen sus pérdidas: «¿Cuántas horas perdieron de trabajo por no disponer de las piezas de recambio?», «¿En concreto, cuándo dejaron de llegar nuestros suministros al lugar de trabajo?», «¿Qué han incluido ustedes en la valoración de los costes de nueva fabricación de los elementos defectuosos?», etcétera.

No suele haber reclamación por daños y perjuicios que sea pequeña, ya que ningún ingeniero cree jamás que el fallo de una pieza del proveedor sea la causa de sólo una pequeña interrupción del trabajo (de forma similar, ningún vendedor piensa jamás que por tener que volver a la oficina para una entrevista con el jefe de ventas vaya a perder una pequeña venta: los vendedores sólo pierden ventas importantes, cuando la *culpa* es de otros). Examinando con más atención las quejas de la otra parte, podremos centrar la cuestión. Lo cual también pueden hacerlo ellos.

Comprobando la opinión de la otra parte respecto de posibles soluciones de la disputa, se hacen propuestas de tanteo: «¿Qué piensa respecto al uso de personal con contrato a tiempo parcial?», «¿Sería posible aligerar las exigencias de información en este tipo de situación?», «¿Tiene usted formada alguna opinión respecto a la utilización de mano de obra no sindicada?», «¿Cómo reaccionaría el personal ante registros al azar de los vehículos?», etc.

Las respuestas no serían siempre positivas (tienen derecho al veto), pero sí ilustrativas de su posición real. Cuanto más aclaren su opinión, mejor se verán las opciones que pudieran zanjar la disputa. El simple hecho de que esté buscando alguna solución, puede servir para romper el punto muerto. Ellos quizá se habían hecho a la idea de que nosotros teníamos un enfoque concreto para la negociación y que tratábamos de imponerles una determinada solución para ellos totalmente insatisfactoria. Mostrándoles algo distinto, podemos superar el punto muerto.

12.9 En busca de criterios

Si se ha de salir de un auténtico punto muerto, se deberán hallar criterios válidos para hacerlo. Los criterios separan las presiones subjetivas sobre los negociadores de las pruebas más o menos objetivas de las soluciones propuestas.

Los sindicatos proponen a veces la comparabilidad (especialmente si sus miembros salen ganando en la comparación con las ocupaciones que ellos mencionen —y estemos seguros de que siempre elegirán ocupaciones con salarios superiores a los de sus afiliados), y en otras ocasiones otros criterios, tales como la productividad o la rentabilidad. Si pueden forzar el asunto mediante la fuerza, no mencionan otro criterio que el de «¡Dadnos lo que queremos, o si no...!».

No obstante, los criterios racionales son un camino mejor para llegar a un acuerdo que la alternativa de la fuerza y la ignorancia. ¡El hallar criterios adecuados es ya toda una negociación! Cada una de las partes tratará de introducir los criterios que sean más favorables para la propia causa. La parte que esté bien preparada, habrá seleccionado, entre diferentes criterios, un conjunto que sea el que mejor se adapte a su caso. La otra parte hará bien en haber espigado igualmente entre todos los criterios disponibles considerando los pros y contras de cada uno, concienzudamente. Si se han hecho unos cálculos chapuceros durante la preparación, se nos vendrán abajo tan pronto como los expongamos ante la otra parte.

Este es el propósito de la búsqueda de criterios adecuados. Si las partes convienen en un conjunto de criterios (tal vez porque haya «tela que cortar» en dicho conjunto), automáticamente separan la eventual solución de la disputa de la fortaleza relativa de las partes. Incluso en la negociación de un alto el fuego, al seleccionarse una fecha u hora cercanas para que el cese el fuego entre en efecto, se está impidiendo cualquier cambio importante en las ganancias y pérdidas territoriales de cualquiera de los bandos que pudiera, de darse, poner en peligro las posibilidades del alto el fuego. De manera que un acuerdo de cese el fuego según el cual cada una de las partes «conservará el territorio que ocupe a las 11 horas del día de mañana», es poco probable que produzca algo más que pequeños cambios marginales en la línea del frente, especialmente porque las tropas no estarán muy motivadas para combatir duramente, con riesgo real de sus vidas, si saben que va a haber un alto el fuego dentro de pocas horas.

La adopción de criterios permite que continúe el proceso negociador para ir dando forma a los detalles relativos a los criterios. Si se decide emplear la comparabilidad, las partes han de decidir con qué o con quiénes han de hacerse las comparaciones; el tratamiento diferencial de diferentes casos exige que se decida hasta dónde ha de ser diferencial el tratamiento, respecto a qué casos diferentes / similares; un tratamiento equitativo requiere una especificación de cómo debe ser de equitativo el tratamiento; justo y razonable requiere las definiciones de cuán justo y cuán razonable ha de ser lo que se aplique, etc.

Los propios criterios son negociables. Su aplicación estará sujeta a escrutinio por cada parte y se emitirán juicios respecto a si constituyen o no un arreglo adecuado para el tema en cuestión. Las partes pueden revisar, y de hecho lo hacen, su actitud en lo que concierne a la continuación de la búsqueda de un arreglo negociado. En algún punto quizá deciden que es preferible el punto muerto a la negociación, y en tales circunstancias habrá que volver a pasar por todo el proceso, una vez más. Naturalmente, esto puede no ser una opción atractiva y entonces habrá que revisar las propias actitudes en pro del arreglo negociado en lugar de intentar algo diferente, o decidir el abandono definitivo del tema.

No hay duda de que la búsqueda de una solución negociada requiere paciencia y, teniendo en cuenta que puede que no aparezca una alternativa al punto muerto durante un considerable período de tiempo, no se tiene siempre la posibilidad de optar por una solución negociada que sea comparable a las soluciones obtenidas por otros medios.

12.10 Usemos la imaginación

Finalmente, le recomendamos que piense usted con imaginación cuando se enfrente al punto muerto. Sus oponentes pueden estar en desacuerdo con usted porque la forma en que les ha presentado las propuestas, incluye algún punto que se sale totalmente de sus limitaciones básicas. ¿Tal vez ambas partes se han visto empantanadas en un enfoque muy estrecho para resolver la disputa? En tal caso, la respuesta es buscar nuevas versiones de las propuestas, conformándolas de alguna manera en un nuevo paquete.

El pensar con imaginación sobre las variables lleva a introducir nuevos elementos en el trato. Nunca se sabe lo que está pasando por la cabeza de nuestros oponentes. Cuando dicen «no» a lo mejor sólo están tratando de comprobar nuestra resolución ¿por qué no lo iban a hacer, si la experiencia les ha enseñado que el ser firmes reporta beneficios?

Todos los tratos entrañan diversas variables, aunque unas pueden ser más obvias que las otras. Si nuestras actuales propuestas han dado como resultado el punto muerto, debemos examinar el paquete y reconsiderar lo que la otra parte nos haya dicho en la negociación. ¿Han indicado algo de especial significación acerca de nuestras propuestas, que deba ser analizado de nuevo? Si se ha estado escuchando, se tienen que haber recibido señales acerca de sus limitaciones.

¿Podemos cambiar la forma en que nos presentan el dinero? ¿Cómo pagan, en qué moneda, en qué condiciones de crédito, con qué descuentos por pago en efectivo, por anticipado, con qué aplazamiento, en efectivo contra entrega, o a la aprobación? ¿Con qué regularidad han de satisfacer los plazos? ¿A quién tienen que pagar? ¿Quién percibe los intereses del dinero depositado en las cuentas? ¿Cuáles serían las consecuencias de un eventual impago?, etc.

¿Se pueden alterar los convenios respecto a entregas? ¿Quién hace las entregas? ¿Quién las cobra? ¿En qué cantidades? ¿Quién paga el seguro y el transporte? ¿Quién cubre el riesgo de pérdida y deterioro? ¿Quién se encarga de verificar las mismas? ¿Cómo deben ser los embalajes? ¿Es una venta condicional con posibilidad de devolución en caso de no venderse? ¿Cuáles son las cargas mínimas? ¿Quién paga el almacenaje? ¿Con qué frecuencia podemos documentar los movimientos? ¿Cuáles son las cantidades para pedidos sucesivos? ¿Podemos fraccionar la carga y, en tal caso, dónde? ¿Qué plazo de antelación se necesita en los pedidos sucesivos?, etc.

¿Y respecto a las especificaciones? Los ingenieros siempre especifican por arriba de sus auténticas necesidades, porque les gusta tener el equipo más moderno con las últimas características. También les gusta taparse las espaldas en caso de que algo vaya mal. Si no se cree esto, compare una empresa en la que las piezas de recambio las pidan los ingenieros con otra en la que las piezas de recambio las pidan los contables...

En definitiva, ¿podemos alterar de alguna forma las especificaciones para reducir los costes o mejorar el paquete? ¿Cuáles son las especificaciones críticas de un elemento? ¿Puede variarse de alguna forma o cumplirse con otros medios? ¿Hasta dónde queremos que nuestro equipo sea fiable, dada la existencia de respuesta inmediata por parte de los especialistas de mantenimiento? ¿Merece la pena ampliar al doble la vida útil del equipo, si su coste se va a multiplicar por tres o cuatro? Si rebajamos la especificación en un 50 por ciento, ¿cuánto nos ahorramos? ¿Se deberán incorporar como normales algunas piezas extra y pasar a extras algunas piezas normales? ¿Cuántas de dichas características se están usando, realmente?

Esto último resulta clarísimo cuando se saca a la luz. Por ejemplo, examine cuidadosamente su calculadora de bolsillo y pregúntese cuántas de las funciones de que dispone la máquina usa usted actualmente con regularidad. Sospechamos, principalmente a partir de nuestra propia experiencia y observación, que no usa usted todas aquellas funciones por las que pagó. (Y no piense que esto sólo se aplica al caso de los productos industriales: échele una ojeada al horno de la cocina, con todos esos temporizadores automáticos, o al aparato de vídeo, con todas sus posibilidades de grabación y transposición. ¿Cuándo las usó por última vez? Y haga el tiempo que haga de esto, recuerde lo que pagó por ellas.)

El tiempo es, naturalmente, la gran variable. Él solo rompe más puntos muertos que todas las demás juntas. El tiempo es divisible y, por serlo, especialmente adecuado para romper un punto muerto. Cambiando la fe-

COSTES DEL PUNTO MUERTO

El director de un almacén frigorífico tuvo un enfrentamiento con un proveedor técnico a propósito de una factura. Adoptó la resolución de no hacer más encargos a tal proveedor hasta que no modificara la factura. El proveedor se negó a hacer cualquier modificación y el almacén frigorífico dejó de darle trabajo.

El director del almacén frigorífico admite tener grandes dificultades para encontrar proveedores alternativos cuyo trabajo sea tan bueno como el del anterior proveedor o tan diligentes en lo que a los avisos de reparación se refiere. Por otro lado, se siente incapaz de encontrar una fórmula que, salvando las apariencias, le permita reanudar las relaciones con el anterior proveedor sin parecer que se rinde.

cha en que el acuerdo, o alguna parte de él, vaya a entrar en vigor, ya se solventa el punto muerto.

Si se está proponiendo algo de lo que la otra parte tenga serias sospechas, introduzca una variable temporal, en virtud de la cual se permita una revisión de la situación en alguna fecha futura; con esto se pueden salvar las apariencias de la otra parte o, de alguna manera, darles un poco más de confianza.

Se puede utilizar el tiempo para especificar quién obtiene algo (¿duración del servicio?), cuándo lo obtienen (a partir de 1986), durante cuánto tiempo (hasta que se jubilen) y cuándo otros pueden tener derecho a él (1988).

Podemos utilizar el tiempo para determinar cuándo se van a hacer los pagos (después de la entrega, durante la construcción), y con qué frecuencia (al mes, al trimestre, una vez al año). Usted puede usar el tiempo para especificar cuándo se han de hacer los informes, escucharse las quejas, dejar arreglados los conflictos y terminados los trabajos. El tiempo es infinitamente variable y la herramienta más útil de un negociador cuando ha de enfrentarse con el punto muerto.

¿DE VERDAD NECESITAMOS ESTO?

Saber la cantidad de maquinaria que se compra en las empresas y que está muy por encima de las necesidades reales del proceso, probablemente le sorprendería (y con toda certeza interesaría mucho a los contables de su empresa). Si puede cambiar la especificación, tal vez pueda romper el punto muerto.

Por ejemplo, en una compra reciente de mucha importancia, que comprendía todo el sistema de mecanización de una oficina, los negociadores estaban muy preocupados por la cuantía del cargo anual por mantenimiento que pesaba sobre el equipo. Preguntando a los vendedores por qué cargaban tanto (15 por ciento del costo de la instalación, por año), se enteraron de que esto era para proporcionar atención inmediata, en tres horas, en caso de fallo en cualquier elemento. Pero con el tamaño y amplitud de la compra y con una gran parte del equipo compuesto por elementos iguales, no parecía necesario pagar tanto por un servicio tan inmediato.

Reestructurando la cobertura del mantenimiento, limitando la respuesta inmediata del servicio técnico a los posibles fallos del *«mainframe»* y dejando hasta 48 horas de plazo para los elementos auxiliares y puestos de trabajo que necesitaran reparación, el cargo por mantenimiento se redujo al 3 por ciento, lo cual quedaba dentro de los presupuestos del comprador (que —dicho sea de paso— compró algunos microordenadores más con el dinero que se ahorró) y, por la razón recién apuntada, también satisfizo al negociador de los vendedores.

Estas son, justamente, algunas de las formas de contemplar las variables. Cada actividad tiene sus variables peculiares y vale la pena reexaminar nuestras actividades y productos y relacionar todas las variables que sean aplicables a ellos.

Esté preparado para llevarse algunas sorpresas. Es extremadamente fácil meterse en un carril estrecho con un producto que se ha estado vendiendo o comprando durante años, y reducir a una o dos las variables negociables, cuando se puede disponer de docenas que se han ido olvidando por no usarlas.

¿CUÁNTAS HORAS TIENE UN DÍA?

Una empresa de alquiler de coches dejaba muy poca flexibilidad en el tema de los precios a los directores de sucursal, especialmente en los tratos con empresas clientes, para lo que había un límite máximo del 15 por ciento.

Un imaginativo director de sucursal advirtió que una empresa cliente —que estaba a punto de pasarse a la competencia— alquilaba los coches a las 4 de la tarde de un día para devolverlos a las 6 de la tarde del día siguiente (lo que equivalía al alquiler de dos días). Presentó al cliente la propuesta de que pagara la tarifa normal, sin ningún descuento, desapareciendo también la entrega y recogida gratuita por parte de chóferes del arrendador (ventaja que el cliente usaba poquísimo), y a cambio de esto el cliente podría contar con los coches durante un período de 28 horas que se le computaría como un solo día de alquiler. Esto, en la práctica, representaba para el cliente una reducción del 50 por ciento en el precio, y para la empresa de alquiler de coches significaba el conservar aquel negocio.

Por lo tanto, y básicamente, el punto muerto es una de las características del proceso negociador. Si está preocupado por él, tanto más probable será que lo padezca. Si usted puede plantarle cara, con confianza, formulando las preguntas adecuadas, centrando su imaginación en las variables que sean aplicables en el trato que se esté discutiendo, tanto más probable será que pueda solventar algunos, y dejar menos sin resolver.

12.11 **Lista de comprobación. Cómo hacer frente al punto muerto**

- Relajémonos y vendamos más.
- Relajémonos y hagamos que se conformen con menos.
- Evitemos la provocación.
- La notoriedad pública propicia el punto muerto.

- Formulemos preguntas del *cómo* y no del *porqué*.
- Escuchemos las respuestas.
- Convengamos un orden del día.
- Establezcamos criterios para arreglar los conflictos.
- Usemos nuestra imaginación en el empleo de las variables.

Capítulo 13

CONCLUSIONES

Terminamos donde empezábamos: la negociación forma parte de la vida diaria. Ahora el lector está mejor preparado, una vez estudiado el libro, para comprender lo que ocurre en las negociaciones en las que participa. Para mejorar esa capacidad de negociación no se requiere mucho tiempo ni esfuerzo. Desde luego, no es lo mismo leer una cosa que practicarla. Pero leyendo ya hemos empezado a hacer algo. Ahora se trata de fijarse el objetivo concreto y medible de poner en práctica los conocimientos adquiridos.

Para avanzar más, y más deprisa, recomendamos al lector que copie las listas de comprobación de las ocho fases. Ponerlas por escrito resulta ser una buena ayuda memorística para el momento en que tengamos que hacer nuestros movimientos.

Si se nos pidiera que especificáramos la guía fundamental para la negociación, pensando en alguien interesado por aprender, resaltaríamos las cuatro fases principales de la negociación (preparación, discusión, propuestas e intercambio), exponiéndolas así: preparar mediante el conocimiento de la actividad propia, escuchar las argumentaciones, hacer propuestas condicionales, intercambiar mediante la fórmula «si ustedes... nosotros...». Si se acostumbra uno a trabajar según este esquema desde ahora mismo, y lo emplea cada vez más según su confianza va creciendo, llegará a obtener mejores tratos que los que normalmente conseguía, y conseguirá cerrar algunos en los que, normalmente, llegaba a punto muerto.

La negociación no encierra misterio alguno. No se trata de un juego exclusivo para pícaros (incluso dudamos mucho de que los pícaros sean capaces de negociar). La negociación es un arte que casi todo el mundo puede aprender y perfeccionar. El método de las ocho fases puede ser utilizado para analizar nuestros resultados así como para analizar las negociaciones que tienen lugar a nuestro alrededor. La observación puede resultar muy útil e instructiva.

La observación de lo que los «expertos» mundiales hacen en sus negociaciones es una experiencia fantástica, especialmente si partimos de la idea de que estas personas son mejores negociadores que nosotros precisamente porque dicen ser expertos. Cuando analicemos lo que hacen, utilizando el método de las ocho fases, quedaremos sorprendidos y rectificaremos seguramente ese juicio. Pero no nos dejemos llevar por nuestra propia satisfacción: en cualquier partido de fútbol hay siempre mucha gente que cree ser más lista que los 22 «inútiles» que persiguen la pelota por el campo; al menos, esa es la conclusión a la que hay que llegar tras escuchar los comentarios del público.

Podemos utilizar nuestro periódico habitual para seguir las principales negociaciones de carácter laboral e internacional. Si las negociaciones nos interesan, podemos recortar los artículos y archivarlos. Estudiemos el historial de las negociaciones en la biblioteca pública más cercana (o mejor, con el fin de ayudar a los autores, compremos algún libro).

Tomemos nota de algunas de las frases memorables que oigamos en las negociaciones. Si nos pueden resultar realmente útiles, aprendamos a usarlas. Observemos también a los «payasos». Nos divertiremos y aprenderemos mucho. Los errores que más pueden enseñarnos son los que nos resultan más fáciles de corregir: los nuestros propios. De ahí la necesidad de ser autocrítico de vez en cuando.

Y por encima de todo recordemos: todas nuestras propuestas deben ir precedidas siempre por condiciones. *Si* recordamos esto, conseguiremos siempre mejores resultados. *Si* no lo hacemos, no lo conseguiremos. Así de sencillo.

ilustrar los temas principales. Es un libro «básico» excelente para aquellos que quieren tener una visión general del tema.

A los directivos de empresa puede interesarles la preparación que reciben los delegados y militantes sindicales para las negociaciones; un libro escrito por los miembros de Society of Industrial Tutors ofrece una visión esclarecedora de las percepciones de los trabajadores. *The Bargaining Context,* de Ed Coker y Geoffrey Stuttard, Arrow Books (Hutchinson), Londres, 1976, publicado en la serie *Trade Union Industrial Studies,* incluye una excelente sección sobre «la teoría y la práctica de la negociación», que bien compensa el precio del libro.

El libro de Bromley Kniveton y Brian Towers *Training for Negotiating: a guide for management and employee negotiators,* Business Books (Hutchinson), Londres, 1978, resume de forma útil la literatura pertinente sin desmentir el práctico mensaje del subtítulo del libro.

The Strategy of Conflict, de Thomas C. Schelling, Harvard University Press, Cambridge, Mass., 1960, es el texto clásico (aunque difícil) sobre la negociación internacional; la obra de Roger Fisher *International Conflict for Beginners,* Harper and Row, Nueva York, 1969, es legible y amena.

Merece la pena consultar dos libros recientes sobre negociación. El primero, escrito por Roger Fisher y William Ury: *Getting to YES: negotiating agreement without giving in,* 1983, tiene muchas ideas interesantes sobre la estructuración del método de negociar. El segundo, es de uno de los autores del presente libro: *Everything is Negotiable!,* por Gavin Kennedy, editado por Business Books en 1983, y en él se cubre todo el amplio espectro de la negociación empresarial; incluye diecinueve conjuntos de preguntas de autovaloración, con los cuáles usted puede valorar sus conocimientos y habilidades en el terreno de la negociación.

BIBLIOGRAFÍA COMENTADA

La literatura sobre la negociación es extensa y creciente. Buena parte de ella es de naturaleza académica e inaccesible al lector medio. Hemos elegido algunas aportaciones al estudio de la negociación que pueden ser de interés para aquellos lectores en los que este libro haya despertado curiosidad.

Uno de los libros clásicos es *A Behavioural Theory of Labor Negotiations: an analysis of a social interaction system,* de Richard E. Walton y Robert B. McKersie, McGraw-Hill, Nueva York, 1965. Se trata de una obra de fácil lectura, aunque el título no lo sea. Para ilustrar sus explicaciones, el libro utiliza ejemplos de negociaciones laborales reales habidas en Norteamérica. Walton y McKersie han ejercido una enorme influencia en el estudio de la negociación. Nosotros hemos utilizado en nuestro libro el concepto de intervalo continuo de la negociación, aparecido por primera vez en el *modelo distributivo de intercambio* de Walton y McKersie. El libro termina con una bibliografía de 200 títulos.

William Zartman ha dirigido otro libro sobre la negociación: *The 50 % Solution: how to bargain successfully with hijackers, strikers, bosses, oil magnates, Arabs, Russians and other worthy opponents in this modern world,* Anchor Books, Doubleday, Nueva York, 1976. El título, como en la obra anterior, es engañoso: se trata de una colección de ensayos serios sobre negociaciones, seleccionados cuidadosamente por Zartman, que imparte cursos de Negociación y Diplomacia en la Universidad de Nueva York. Esta es la clase de libro que se puede profundizar y volver a leer periódicamente. Contiene trece casos detallados y ocho evaluaciones más generales. El libro termina con una bibliografía de más de 300 títulos que cubren todos los aspectos de la negociación.

Psychology and Collective Bargaining, de Peter Warr, Hutchinson, 1973 (en la serie *Industry in Action,* dirigida por K. J. W. Alexander) ofrece una introducción legible a las aportaciones de la psicología al estudio de las negociaciones laborales al nivel de la empresa. El autor utiliza el caso de una fábrica de productos químicos de Sheffield, Inglaterra, para